LA CÁMARA
DIGITAL

Cómo hacer buenas fotos

Maribel Luengo

LIBSA

© 2005, Editorial LIBSA
C/ San Rafael, 4
28108 Alcobendas. Madrid
Tel. (34) 91 657 25 80
Fax (34) 91 657 25 83
e-mail: libsa@libsa.es
www.libsa.es

Textos y fotografías: Maribel Luengo
Infografía: César Domínguez
Edición: Equipo editorial LIBSA

ISBN: 84-662-1050-4

CONTENIDO

PRÓLOGO

Las nuevas tecnologías que se han desarrollado vertiginosamente en las últimas décadas han hecho que el mundo de la imagen sea el predominante no sólo en el mundo del conocimiento sino de la estética y la enseñanza, entre otros.

Ahora más que nunca, valoramos y exigimos imágenes de calidad, innovadoras y creativas.

Paralelamente, la tecnología se ha popularizado hasta el punto de que la producción y reproducción de material visual se ha colocado al alcance de todo aquel que manifieste inquietudes en este sentido.

El paso más importante en el mundo de la imagen ha venido dado con la llegada de la tecnología digital a la fotografía. Ello ha conseguido que esta disciplina, reservada hasta ahora a unos cuantos profesionales, sea más fácil, cercana y fascinante.

Este libro hace un repaso pormenorizado y completo sobre los aspectos indispensables para llegar a tomar fotografías de alta calidad técnica y artística.

En él se explica desde cómo adquirir un equipo fotográfico adecuado a nuestras posibilidades y expectativas, hasta el conocimiento y control de aspectos como la luz, el color, la composición, la perspectiva, el movimiento o el enfoque.

Sin embargo, el mundo digital no sólo nos facilita la toma de la instantánea, sino que pone a nuestra disposición de una forma abierta, próxima y sencilla, un aspecto de la fotografía oscuro e inaccesible: el laboratorio.

El laboratorio digital es ahora una opción de posibilidades ilimitadas con la llegada del ordenador y los programas de edición de imágenes a nuestros hogares.

Ajustes lumínicos y cromáticos, efectos especiales, reencuadres, creación de orlas y texturas o eliminación de pequeñas imperfecciones son sólo algunos ejemplos de modificaciones que estaban vetadas al fotógrafo aficionado, que perdía el control sobre sus fotografías en el momento en el que entregaba el carrete al laboratorio, conformándose inevitablemente con los resultados que le proporcionaban en el mismo.

Un nuevo mundo creativo se abre ante nuestros ojos. Bienvenido a la fotografía digital.

INTRODUCCIÓN

La fotografía digital: un mundo de creatividad al alcance de un dedo

Tanto si ya hemos adquirido una cámara digital como si aún nos encontramos indecisos, estas páginas pueden abrir ante nuestros ojos todo un mundo de posibilidades creativas, para que las imágenes que recojamos en viajes o momentos familiares sean, además de evocadoras, impactantes.

Podemos considerar que nuestra cámara fotográfica es desde un sofisticado juguete hasta el instrumento ideal para poner de manifiesto nuestras dotes artísticas. En cualquier caso, la condición fundamental es la diversión. Un buen fotógrafo disfruta cada vez que capta una imagen. Éste es, por tanto, nuestro objetivo: que la fotografía sea una actividad que en sí misma nos proporcione placer. Para conseguirlo, es importantísimo que estemos satisfechos con las instantáneas que nos llevemos a casa.

Si dedicamos algunos momentos a descubrir sus secretos, nuestras fotografías serán llamativas, conmovedoras, originales..., en una palabra, serán profesionales. Este libro es un compendio de lo que debemos hacer y evitar, paso por paso y con ejemplos.

Con la llegada de la imagen digital, la fotografía se ha hecho mucho más ágil, rápida y sencilla. Podemos olvidarnos de la película tradicional, de los límites en cuanto a formato que nos imponían los modelos estándar del papel fotográfico, de esperar horas o incluso días para ver los resultados, de conformarnos con lo que «salía» del laboratorio... Ahora tenemos control absoluto sobre lo que hacemos.

En principio, todo esto está muy bien, pero ¿cómo podemos saber si una fotografía es buena o mala? Bien es cierto que una imagen puede expresar más a unas personas que a otras, ya que estamos ante valores subjetivos. No sería la primera vez que nos encanta una instantánea que a otros les pasa desapercibida. Sin embargo, hay varios valores objetivos que debemos encontrar en una imagen para que ésta sea calificada

■ Es cierto que pulsar el botón de disparo de una cámara de fotos es realmente fácil, hasta un niño puede hacerlo. Sin embargo, otra cosa son los resultados. Para que éstos sean satisfactorios es fundamental controlar algunos aspectos técnicos como la luz, el enfoque, el encuadre...

como «buena». Para ello, es fundamental controlar ciertos aspectos técnicos de la fotografía y responder «sí» a preguntas como éstas:

1. ¿Es correcta la composición?

2. ¿Salta a la vista cuál es el principal objeto de atención?

3. ¿Está bien enfocada la imagen?, o lo que es lo mismo, ¿es nítida?

4. ¿Es correcta la luz?

5. ¿Y los colores?

5. ¿Contamos con un enfoque creativo?

6. Y por último, ¿nos dice algo la imagen o, por el contrario, nos deja indiferentes?

Posiblemente, muchos aficionados no están muy seguros de qué contestar a algunas de estas cuestiones, ya que no siempre se tienen en cuenta. Esto es, precisamente, lo que hace que las fotografías sean anodinas y monótonas, como las que nos muestran en un álbum que parece no tener fin y que nos vemos obligados a contemplar al regreso del viaje a Italia de nuestro cuñado.

■ Actualmente, la variedad de modelos de cámaras es tan amplia que el fotógrafo debe tener claras sus prioridades.

De todas formas, cuando vemos una foto profesional en un estudio, en una revista, en prensa o en el catálogo de una agencia de viajes, vemos inmediatamente que hay un abismo entre ésta y la que normalmente encontramos en un álbum familiar. Esto es justamente lo que podemos cambiar con un mínimo esfuerzo.

Recorreremos de una forma amena y divertida los aspectos fundamentales de la fotografía, que día a día se está convirtiendo en la afición de más personas. Descubriremos cómo captar la perspectiva, utilizaremos elementos compositivos, controlaremos la luz y el color, conseguiremos nitidez en la imagen, descubriremos las principales temáticas, corregiremos los errores más comunes...., y todo mientras apretamos el botón de nuestra cámara.

CÓMO ELEGIR LA CÁMARA MÁS ADECUADA

Actualmente, el mercado se encuentra saturado de cámaras digitales, haciendo más complicada la elección de la que más nos conviene. Los precios son muy variados, desde los modelos profesionales a los más sencillos. Sin embargo, una máquina fotográfica debe contar con algunas funciones básicas que nos serán imprescindibles. A éstas habrá, además, que sumar otras que se ajusten a nuestras necesidades e inquietudes.

Ante todo, resulta fundamental conocer algunos términos con los que tendremos que enfrentarnos a la hora de adquirir una cámara digital.

La resolución indica la calidad de la imagen. Cuanto mayor sea la resolución, mejor será la imagen. Viene determinada por el número de píxeles. A mayor número de píxeles, la imagen será más detallada. Para obtener una copia en papel de una fotografía digital se requiere alrededor de 300 píxeles por pulgada. Por tanto, no resulta recomendable adquirir una máquina que ofrezca menos de 3 megapíxeles (millones de píxeles).

Al comprar una cámara, tendremos también que elegir entre una compacta o una réflex (SLR) de alta calidad. La gama de modelos de las cámaras digitales de zoom compacto es muy abundante. Están equipadas de una lente fija con zoom óptico y/o digital con una distancia focal de 35 mm a 105 mm. Las cámaras SLR, por su parte, admiten diferentes lentes y permiten el mismo control fotográfico que las réflex convencionales.

■ La mayoría de las cámaras digitales cuenta con un zoom incorporado, normalmente con una distancia focal de 35 a 105 mm. Del mismo modo, ofrecen un visor y un monitor LCD para visualizar el encuadre.

■ La amplia gama de cámaras incluye las de tecnología SLR, semejantes a las réflex tradicionales. Éstas permiten cambiar fácilmente de objetivos, además de eliminar el error de paralaje del visor, ya que el fotógrafo puede mirar la escena a través del propio objetivo.

■ Muchos aficionados optan por adquirir una cámara digital compacta sólo porque su cámara tradicional también lo era. Es importante tener en cuenta que este tipo de máquinas carece de ciertas opciones que más adelante pueden echarse de menos.

Con el zoom óptico, la ampliación se consigue con las lentes del objetivo, y no con el software de la cámara. Por el contrario, el zoom digital «recorta» la imagen, de tal forma que parece más ampliada. Esto significa que reduce el tamaño total de la imagen y, por tanto, su calidad final.

La tarjeta de memoria es una pequeña unidad reutilizable que almacena las imágenes que vamos captando con la máquina. Es el equivalente a los carretes fotográficos convencionales. Cuando la tarjeta tiene almacenadas algunas imágenes o, incluso, está llena completamente, se conecta a un lector que se enchufa al equipo informático, lo que permite descargar las imágenes desde la tarjeta. Las tarjetas son muy resistentes y existe una amplia gama de capacidad de almacenamiento. La mayoría de las cámaras incorporan de serie una tarjeta de 4 a 16 megabytes (MB). Resulta conveniente adquirir una o dos tarjetas más y, si es posible, con mayor capacidad.

Para los fotógrafos profesionales o los aficionados que toman mucha cantidad de fotografías a alta resolu-

PUNTOS CLAVE

▶ Cuanto mayor resolución tenga la cámara mejor será la calidad de las imágenes obtenidas.

▶ Las cámaras compactas suelen incluir un zoom incorporado con una distancia focal de 35 a 105 mm, las de tecnología SLR se corresponden a las réflex tradicionales.

▶ La opción de zoom digital merma la calidad de la imagen, por tanto, es de poco o ningún interés.

▶ Si queremos copias en papel, la cámara deberá contar con al menos 3 MB.

ción, hay en el mercado microunidades con capacidad de almacenamientos de 500 MB a 1 gigabyte (GB). Estas microunidades, sin embargo, son frágiles y poco recomendables para situaciones en las que se las manipule con poca delicadeza.

Por otra parte, el aficionado que vaya a adquirir una cámara digital debe preguntarse, además del precio que está dispuesto a pagar, el uso que va a hacer de ella. Un modo de determinar esto último es decidir cómo se van a reproducir las imágenes.

Si las fotografías se van a ver únicamente en línea, es decir, en pantalla, la cámara no necesitará ofrecer mayor capacidad que 1 ó 2 MB. Pero si además, se quieren copias en papel superiores a 10 x 15 cm, será necesario contar con un modelo que ofrezca al menos 3 MB.

Otro aspecto importante, que a muchos compradores se les pasa por alto hasta que ya es demasiado tarde, es el diseño de la cámara, el cual determina su facilidad de uso. Una cámara bien diseñada, donde se encuentran las opciones y se navega por los menús de forma intuitiva, resulta más cómoda y rápida.

No debemos desdeñar los últimos avances en imagen digital, tales como el estabilizador de imagen, la configuración del balance de blancos, la apertura mínima de f-1.8 que permite fotografiar en condiciones lumínicas desfavorables, etc. Sin embargo, estas opciones avanzadas no deben

■ El diseño de la cámara es más importante de lo que algunos consumidores suponen. De él dependen la comodidad y rapidez en la toma de fotografías.

■ Las cámaras compactas digitales incluyen un flash incorporado y, en ocasiones, una entrada para flash externo. Por otra parte, si queremos copias en papel de más de 10 x 15 cm, debemos optar por la adquisición de una máquina con al menos 3 MB de capacidad.

reemplazar nunca aspectos mucho más importantes como los modos de enfoque y fotomedición, el control sobre la sensibilidad, etc.

Finalmente, hay que mencionar que los últimos modelos de cámaras digitales llevan pilas de litio recargables. Este tipo de pilas permite una mayor duración de uso

PREGUNTAS Y RESPUESTAS

1. En el caso de contar con un presupuesto reducido para adquirir nuestro primer equipo fotográfico, ¿qué opción es la más recomendable?

R. Si es necesario tomar una difícil decisión entre adquirir una cámara digital más costosa sin accesorios extras y una barata con ellos, lo más aconsejable es decantarse por la última. El motivo es que casi todos los aficionados terminan por comprarse una cámara mejor cuando han adquirido cierta soltura, y siempre resultará un mejor punto de partida una cámara de calidad inferior pero que haya dado mucho más juego.

2. ¿Es aconsejable comprar un equipo que tenga como tarjeta de memoria disquetes estándar?

R. A pesar de que son las más ágiles a la hora de descargar las imágenes en el ordenador, las cámaras digitales que almacenan la información en disquetes no alcanzan una óptima velocidad y resolución. Por tanto, es preferible descartar esta opción.

1. Actualmente existe en el mercado una gran variedad de modelos con multitud de opciones interesantes a bajo precio.

3. ¿Cómo se determina si el menú de una cámara está bien diseñado, o no?

R. Los menús deben ser intuitivos, fáciles de navegar y memorizar. Hay que huir de las cámaras con menús repartidos de forma caótica alrededor del monitor LCD. Un diseño con el que nunca nos equivocaremos es el que guarda todas las opciones en uno o dos lugares determinados y con lógica. Por ejemplo, las opciones que afectan a la luz deben estar juntas.

2. Los disquetes son soportes poco recomendables a la hora de almacenar imágenes. En primer lugar por su baja capacidad (menos de 1.5 MB), y en segundo, al deteriorarse fácilmente no es fiable a la hora de regrabar sobre ellos.

4. Mi equipo tarda mucho tiempo en transferir la información de la tarjeta de memoria al ordenador. ¿Cómo se puede acelerar esta operación?

R. La única forma de agilizar la transferencia al equipo informático es utilizando un lector de tarjetas de memoria, cuyo precio es, actualmente, bastante bajo.

4. Si el ordenador no cuenta con conexión URL, la mejor opción para descargar información es utilizar un lector de tarjetas de memoria.

5. ¿Tiene algún inconveniente adquirir una cámara que únicamente cuente con el monitor LCD para la previsualización de las imágenes?

R. En principio, es preferible descartar esta opción, ya que el monitor LCD no siempre proporciona una buena visualización, sobre todo en condiciones de luz solar intensa. Por otra parte, obliga al fotógrafo a mantener una postura incómoda e inestable que suele provocar temblores de pulso.

5. Hoy por hoy, lo mínimo que podemos exigir de una cámara digital es que incluya tanto el monitor LCD como el visor.

6. ¿Existen cámaras con distintas velocidades de reproducción de las fotografías tomadas?

R. Sí, pero en muy pocos modelos te especifica el tiempo real que una cámara tarde en mostrar una imagen. Por tanto, esta característica únicamente puede comprobarse «in situ». Es aconsejable realizar algunas tomas de prueba en la misma tienda y comprobar el tiempo de reproducción. Ser exigente en este aspecto es primordial, ya que en muchas ocasiones la visualización de una fotografía determina la necesidad o no de repetirla.

7. ¿Cuál es la resolución mínima necesaria para realizar copias en papel de hasta 15 x 23 cm?

R. La resolución mínima para ello es de 1.280 x 960 píxeles de resolución óptica real, lo que traducido al lenguaje digital son 1,3 megapíxeles.

6. La velocidad de reproducción es importante. Una buena costumbre es comprobarla antes de adquirir un equipo.

CONOCER NUESTRO EQUIPO FOTOGRÁFICO

El manejo de una cámara digital parece más complicado cuanto más avanzada es tecnológicamente. Sin embargo, la intención de los fabricantes es hacerlas más rápidas y ágiles, automatizando al máximo todo el mecanismo.

Los fotógrafos quieren exprimir el rendimiento de su equipo. Sin embargo, este objetivo requiere controlar a la perfección el manejo de la cámara.

Las cámaras digitales no se asemejan mucho a las tradicionales en sus aspectos más básicos: medición de la luz, el enfoque, la velocidad de obturación, la abertura del diafragma, etc.

La nuevas tecnologías ofrecen una serie de opciones y programas prefijados que engordan inevitablemente el libro de instrucciones de nuestra cámara. Sin embargo, esto no debe amedrentarnos.

Lo primero es no abrumarse por la profusión de botones ni por el volumen de las instrucciones. El usuario que acaba de adquirir una cámara digital debe conocer su equipo «digiriéndolo» poco a poco. Una buena forma de empezar es leer los apartados relativos a los controles más básicos, es decir, los que afectan al enfoque, la velocidad, el diafragma, las modalidades de disparo y la medición de la luz.

«El camino se hace andando». Con esto queremos decir que el manejo de la cámara se aprende tomando fotografías. Es así como se van memorizando los menús y el lugar donde buscar cada opción.

Otros aspectos a tener en cuenta desde un principio son todos los relativos a los modos de grabación. La única diferencia, a este respecto, entre distintos modelos digitales es la calidad con la que se almacena la imagen.

La tecnología digital cuenta con distintos niveles de compresión. El formato JPEG es el que ofrece mayor calidad.

Una opción interesante y muy útil es la visualización de la imagen tras el disparo y grabación de la misma. Así, el fotógrafo puede comprobar de forma inmediata el resultado obtenido.

Las cámaras digitales consumen mucha energía, por tanto, son preferibles las baterías recargables, además de varios juegos de repuesto.

1. Objetivo
2. Visor
3. Flash integrado
4. Botón de encendido
5. Disparador
6. Zona de agarre principal

7. Visor
8. Botón menú de flash
9. Botón macro
10. Monitor LCD
11. Menú
12. Conexión flash externo
13. Botón OK
14. Zoom in-out
15. Disparador retardado
16. Tarjeta de memoria

■ La distribución de las funciones básicas de una cámara digital puede variar de un modelo a otro. Sin embargo, las opciones más comunes deben estar ubicadas de tal forma que sean fáciles y rápidas de encontrar y utilizar.

La tarjeta de memoria es para la cámara digital lo que los carretes para la analógica o tradicional. Por tanto, su capacidad determinará el número de fotografías que podrán almacenarse en ella. Contar con más de una tarjeta es siempre un acierto.

Finalmente, una vez llena la tarjeta se pasan las imágenes al ordenador. La mayoría de las cámaras cuentan con una conexión USB para realizar esta descarga.

LOS OBJETIVOS

Lo primero que llama la atención cuando miramos a través de un visor es que no vemos la realidad tal y como estamos acostumbrados. A pesar de estar utilizando un objetivo 50-55 mm, el más parecido al ángulo de visión humana, hay cierta «magia» en el «ojo» de la cámara, que se debe, nada más y nada menos, a que captamos lo que nos rodea de una forma diferente. Por si fuera poco, además, podemos cambiar el ángulo del encuadre utilizando diferentes objetivos.

Emplear el objetivo adecuado para cada momento puede mejorar de forma drástica nuestras fotografías. Cada objetivo refleja la realidad de una forma distinta, destacando detalles, cerrando el encuadre, captando zonas que ni el ojo humano puede ver en un golpe de vista, etc.

Los objetivos se clasifican según su distancia focal, es decir, la distancia en milímetros que hay desde el CCD (Charge Couple Device o Dispositivo de Carga Acoplada) al centro óptico de la lente cuando ésta enfoca al infinito. Así, podemos contar con objetivos de 20 mm, 35 mm, 50 mm, 200 mm..., por citar sólo algunos.

Los objetivos pueden ser normales, angulares, tele o zoom (para fotografías macro). Los objetivos normales (50-55 mm) son los que tienen un ángulo de encuadre relativamente semejante al ojo humano, aunque comparado con él podrían dar la sensación de visión túnel. Suelen ser económicos y luminosos, pero apenas ofrecen posibilidades creativas.

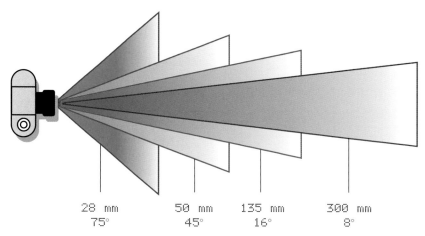

| 28 mm | 50 mm | 135 mm | 300 mm |
| 75° | 45° | 16° | 8° |

■ Cada distancia focal tiene un ángulo de cobertura distinto. Así los angulares encuadran un espacio mayor, mientras que los teleobjetivos, al captar objetos alejados, trabajan sobre ángulos más reducidos. Mediante este esquema podemos entender con mayor facilidad por qué los angulares no reciben más luz que los objetivos tele.

■ Los objetivos incorporan una cifra en milímetros que indica la distancia focal y un número precedido de 1: que indica la abertura máxima del diafragma.

■ Las velocidades de obturación están incorporadas en el cuerpo de la cámara; la abertura del diafragma, sin embargo, depende de la luminosidad de cada objetivo.

Podemos considerar que un objetivo es angular cuando desciende de 35 mm y gran angular cuando su distancia focal es menor de 28 mm. Estas lentes permiten captar un campo de visión mayor, son las más luminosas y producen efectos interesantes cuando se usan en los momentos oportunos. Con excepción de los de alta gama para profesionales, los angulares deforman, en mayor o menor medida, la imagen, hecho que se convierte en un problema cuando se fotografían objetos a poca distancia.

Los teleobjetivos disminuyen el ángulo del encuadre permitiendo recoger zonas lejanas o detalles de la realidad. Por la gran cantidad de lentes que los componen, los teles necesitan condiciones lumínicas favorables para poder trabajar bien, ya que son poco luminosos. Además requieren de cierta velocidad de obturación para evitar trepidaciones (o desenfoques producidos por el temblor de nuestro pulso).

Por último, el zoom es un objetivo que se ha hecho tremendamente popular, ya que reúne en un solo cuerpo varias distancias focales. Su principal ventaja es que nos permite realizar diversas composiciones de una imagen en función del ángulo de encuadre sin necesidad de cambiar de objetivo. El inconveniente es la disminución de la calidad de la imagen, mayor cuanto más amplia es la horquilla de distancias focales.

Al ser herramientas apasionantes e imprescindibles en fotografía, resulta muy útil sumergirse en los detalles técnicos y creativos, descubrir sus posibilidades y ponerlas en práctica. Podremos así controlar la imagen cambiando de encuadre, de ángulo, de distancia; en una palabra, cambiando de mirada.

Los teleobjetivos

Las distancias focales altas se agrupan en los conocidos como objetivos tele o teleobjetivos, y van desde los 70 mm hasta incluso 1.200 o más. En el argot digital, aparecen acompañados de una «x» y un número que indica las veces que hay que multiplicar la distancia focal más baja del objetivo para saber la distancia focal del tele. Así pues, un objetivo 4x en una cámara cuyo angular es de 35 mm, consigue un tele de 140 mm.

Los teleobjetivos son utilizados para acercar la realidad en el encuadre de la cámara. Cuanto mayor sea la distancia focal del objetivo, más acercará la escena. En consecuencia, también hay una reducción del ángulo. Esto implica que las vibraciones en la cámara queden amplificadas, por lo que es más fácil que la imagen sufra trepidaciones o vibraciones incluso en velocidades altas que normalmente no dan problemas.

La perspectiva es otro problema cuando utilizamos una distancia focal elevada, ya que los planos que componen la escena se acercan, disminuyendo la sensación de profundidad. Debido a esta característica, los espacios pueden parecer más estrechos e incluso claustrofóbicos.

Los tele son objetivos poco luminosos, es decir, recogen menos luz del entorno que los angulares. Esto influirá necesariamente en la abertura del diafragma y la velocidad de obturación, llegando a ser un problema en condiciones lumínicas adversas, ya que además de la poca luminosidad del objetivo, la velocidad debe ser lo suficientemente alta como para evitar los temblores del pulso. Por último, el flash no suele servirnos de nada, ya que se trata, en la mayoría de los casos (no en todos, como veremos), de escenas alejadas de su radio de acción.

■ Tomar instantáneas en las que todos aparecen con una gran naturalidad es una de las ventajas que proporciona el teleobjetivo.

■ La ventana indiscreta. ¿Pero quién es aquí el fisgón? El teleobjetivo permite captar escenas alejadas desde una posición realmente anónima.

■ El tele es poco luminoso y exige cierta velocidad, por tanto, vigilaremos la profundidad de campo.

■ Estos objetivos reducen la perspectiva, dando la sensación de que los planos están más juntos entre sí.

■ Las focales largas permiten fotografiar detalles que normalmente suelen pasar desapercibidos.

Los objetivos tele son muy agradecidos en los retratos, ya que permiten captar a la persona sin que ésta repare en el fotógrafo, ganando en naturalidad.

Los teleobjetivos pueden ser fijos (con una sola distancia focal) o zoom (con una horquilla que va de una distancia menor a otra mayor). La calidad de la imagen de un tele fijo es mayor que la de un zoom. La explicación es sencilla: las lentes en el zoom son móbiles y el ajuste entre ellas, aunque bueno, no puede ser perfecto. La óptica del fijo, por tanto, es mucho más precisa. El inconveniente de este último es que trabaja con una única distancia focal, mientras que el zoom permite variar de distancia según sus márgenes (por ejemplo, 70-200 mm). La calidad óptica de un zoom será menor cuanto mayor sea el margen de movilidad de sus lentes.

El zoom digital es una opción muy común en las cámaras de nueva generación. Sin embargo, su uso no es nada recomendable. El zoom óptico dispone de una serie de lentes cuya disposición determina el grado de proximidad que puede lograrse de un objeto que se encuentra alejado. Con el zoom digital, las lentes no se mueven, sino que reencuadran la imagen como si la recortasen, consiguiendo así un falsa sensación de acercamiento óptico. Este sistema incide negativamente sobre la calidad de la imagen, incluso a veces también en su resolución.

PUNTOS CLAVE

▶ Los teleobjetivos acercan la realidad pero a la vez aplanan la imagen, disminuyendo la sensación de profundidad, de perspectiva y el espacio visual entre los planos.

▶ Las focales largas necesitan más luz que las cortas ya que captan menos la luminosidad del entorno.

▶ Los objetivos tele son muy sensibles a los temblores del pulso por lo que requieren velocidades mayores.

▶ El zoom digital simplemente reencuadra la imagen disminuyendo así sensiblemente la calidad final.

■ Los angulares son la mejor opción en fotografía paisajista ya que el ángulo de cobertura es mayor, aumentando la sensación de espacio.

PUNTOS CLAVE

▶ Los objetivos angulares son los menores de 50 mm. Los gran angulares son los menores de 35 mm.

▶ Las focales bajas aumentan la perspectiva, la profundidad y la separación visual entre los planos.

▶ Los angulares deforman la realidad: las líneas rectas se curvan y los objetos más próximos se distorsionan.

▶ En los retratos, los angulares deben emplearse con cautela, ya que deforman los miembros y producen un antiestético efecto barril, sobre todo en el rostro.

▶ Los objetivos angulares son bastante luminosos, es decir, captan más cantidad de luz del entorno. Esto permite trabajar con aberturas de diafragma más cerradas y velocidades más rápidas.

Los objetivos angulares

Las distancias focales bajas se denominan angulares. Consideramos angular un objetivo inferior a 50 mm, siendo gran angular el que disminuya de 35 mm, llegando incluso al ojo de pez, objetivo que cubre casi los 180 grados con una profundidad de campo total.

La característica más importante de estos objetivos es que recogen un ángulo más amplio, pudiendo captar objetos enteros y grandes espacios. Esto resulta tremendamente útil en la fotografía de paisaje y para aumentar el encuadre en un entorno angosto o reducido, donde la posibilidad de maniobrar es inferior.

Las focales bajas, además, aumentan la perspectiva, exagerando la diferencia de tamaño entre los objetos cercanos y el fondo, y separando visualmente los planos entre sí.

Sin embargo, debemos ser prudentes en el uso de angulares para ciertas ocasiones, ya que deforman, en mayor o menor medida (dependiendo de la distancia focal), la realidad. Las líneas rectas se curvan y los objetos se distorsionan, especialmente los más próximos.

Los angulares presentan, por otro lado, un efecto barril: las líneas distribuidas en los laterales del encuadre se curvan de una forma evidente, más cuanto menor es la distancia focal.

Esto puede ocasionarnos problemas cuando tomamos fotografías basadas en líneas rectas, como la arquitectónica, pero también puede suponer una forma creativa de captar la realidad.

■ Un cielo lleno de nubes aparece grandioso y envolvente gracias a las focales cortas.

Debido a que la perspectiva se acentúa, su efecto queda patente cuando encuadramos a una persona, puesto que sus proporciones quedan alteradas.

Por ello, no resulta recomendable utilizar focales bajas para el retrato, sobre todo si la figura se encuentra cerca del objetivo.

Por otra parte, los angulares son objetivos luminosos, esto es, recogen más luz que las focales altas, por lo que en condiciones lumínicas adversas nos permitirán jugar con un margen mayor entre diafragma y velocidad.

Con todo, estos objetivos presentan un abanico de posibilidades creativas que vale la pena explorar.

■ Con los objetivos angulares las líneas de fuga quedan más marcadas y la perspectiva se pronuncia, debido a la deformación y al amplio ángulo de encuadre.

⊞ El macro

Es muy habitual sentir fascinación por captar en grandes dimensiones objetos diminutos. Por esta razón, la mayoría de los fotógrafos y aficionados aprovechan la mínima oportunidad para utilizar el macro.

■ Las flores, por su inmovilidad, se prestan bien a la fotografía macro.

Con la fotografía digital, el macro se ha visto popularizado, dejando de ser, como efectivamente era con los sistemas analógicos, una herramienta avanzada en un equipo especializado. Consideramos fotografía macro aquella que aumenta hasta diez veces el tamaño de un objeto. A partir de ahí, tendríamos que hablar de fotomicrografía (imágenes a través del microscopio). Habitualmente, el modo macro se activa empleando la distancia mínima de enfoque, que varía según la cámara. Al mismo tiempo, y aunque no lo apreciemos, la máquina sufre ciertas alteraciones que debemos tener en cuenta. Se modifica la colocación de las lentes, alejándose del CCD, lo que afecta al diafragama y a la velocidad de obturación.

El CCD es un tipo de sensor de imagen y sustituye a la película de las cámaras convencionales; su calidad se mide en píxeles y es el punto neurálgico de las digitales.

■ Con el macro podemos conseguir resaltar contrastes y texturas.

Debido a estos pequeños cambios, aparecen otros no tan pequeños: la perspectiva puede sufrir leves deformaciones, la profundidad de campo se reduce al mínimo y la velocidad de obturación disminuye.

Si el macro restringe la profundidad de campo, el diminuto tamaño del CCD en las cámaras digitales (que nos dificulta desenfocar el fondo en los retratos), compensará la disminución del área nítida propia del modo macro. En cualquier caso, es importante afinar el enfoque en este tipo de fotografías.

■ La profundidad de campo es tan reducida en estas imágenes que el enfoque debe ser preciso, si no queremos que todo quede reducido a meras manchas de color.

Cerrar todo lo posible el diafragma será lo mejor para estas tomas, a pesar de que una de las características de la fotografía macro es que la velocidad disminuye. Parece obvia la necesidad de contar con unas condiciones lumínicas favorables, ya que aumentar el número ISO (sistema lineal de medición de sensibilidad a la luz) y, con ello, la sensibilidad a la luz, es del todo desaconsejable, pues el ruido digital se hace patente y echa por tierra cualquier imagen al detalle. Además, una fotografía macro de alta calidad requerirá, con toda seguridad, la ayuda del trípode para evitar temblores.

A no ser que contemos con un flash en el que podamos controlar la intensidad del destello, el uso de esta fuente lumínica es contraproducente en distancias tan cortas.

La colocación del usuario y la cámara con respecto al objeto y la fuente de luz es fundamental. No olvidemos que tendremos que ubicarnos extremadamente cerca del objeto, y cualquier proyección de sombra resultaría fatal.

La característica más ventajosa de esta herramienta (su posibilidad de fotografiar detalles llamativos en objetos pequeños) es un arma de doble filo: también capta las imperfecciones. Por lo tanto, hay que tener cuidado con utilizar bases o fondos con mucha textura (telas o cartulinas), porque con el macro pueden convertirse en superficies porosas nada atractivas.

■ El macro capta hasta los detalles más pequeños, por ello, el fotógrafo debe atender con minuciosidad todo el encuadrado.

Por último, conviene diferenciar claramente el modo macro de las focales largas. El teleobjetivo nos acerca objetos de tamaño considerable o al menos fáciles de ver que se encuentran alejados, llegando incluso a llenar el encuadre.

El macro capta objetos muy pequeños y consigue enfocarlos a pequeñas distancias. Dicho esto, podemos fotografiar detalles tanto con uno como con otro. Será el motivo elegido el que determinará cuándo usar el más adecuado.

PREGUNTAS Y RESPUESTAS

1. ¿Es cierto que cada tipo de objetivo requiere la utilización de una velocidad distinta?

R. Sí y no. Cualquier distancia focal puede trabajar con todas las velocidades que nuestra cámara permita. Sin embargo, algunos objetivos transmiten temblores a la imagen únicamente si no disponemos de un trípode. En tal caso, la velocidad mínima debe ser igual o superior a la distancia focal. Por ejemplo, la velocidad más lenta con la que trabajaría un objetivo de 200 mm es de 1/250, para uno de 50 mm es de 1/60. Esto es válido siempre que no bajemos de una velocidad de 1/30. Además las distancias superiores a 400 requieren de velocidades aún más rápidas que las que marca esta norma.

1. Al encontrarse el obturador en el interior del cuerpo y no en el objetivo, la velocidad de obturación depende de las posibilidades de la cámara y no de las de las lentes.

2. ¿Qué elementos se deben tener en cuenta a la hora de adquirir un teleobjetivo de calidad?

R. Los objetivos tele son, por regla general, poco luminosos. Es decir, necesitan entornos muy iluminados para poder trabajar a velocidades adecuadas. Por tanto, un teleobjetivo será mejor cuanto mayor sea la abertura de diafragma que permita, o lo que es lo mismo, un valor f- menor. Otro de los puntos débiles de las distancias focales largas es la nitidez en el enfoque. Hay que tener en cuenta que estos objetivos se componen de varias lentes para así poder acercar los objetos, y la calidad de las mismas determinará la definición final de la imagen. La única forma de comprobar el estado de las lentes es realizar algunas tomas e imprimirlas en papel. El monitor LCD o la pantalla de ordenador suelen camuflar estos errores.

2. Un teleobjetivo de calidad permite una gran abertura de diafragma y consigue máxima nitidez en una imagen enfocada. Cuanto mayor es el número de lentes, más difícil y costoso resulta mantener la calidad.

3. ¿Qué diferencia a un zoom digital de otro óptico? ¿Cuál es el que no debe faltar en una cámara?

R. El zoom óptico cuenta con varias lentes que permiten que un objeto lejano aparezca mayor en el encuadre. Si la calidad de dichas lentes es óptima, la calidad de la imagen es la misma para cualquier distancia. El zoom digital no trabaja con lentes, es decir, el encuadre es siempre el mismo, por lo que para llenarlo con un objeto lejano, se ve obligado a «recortarlo» y ampliarlo, lo que disminuye radicalmente la calidad final de la toma. Por esta razón, cualquier cámara que se precie debe contar con zoom óptico. El zoom digital es una opción que nunca debería utilizarse, por tanto, no sólo no se le debe echar de menos en el menú de opciones, sino que la falta del mismo hace que éste quede despejado de elementos inútiles.

3. El zoom digital recorta una porción de la imagen y la amplía para que ocupe todo el encuadre, por esa razón, la imagen resultante es de calidad muy inferior a la original.

4. ¿Existen objetivos angulares que tengan corregido el efecto barril que suelen producir? ¿Cuáles son los que más deforman?

R. La deformación en los puntos externos de las focales cortas es mayor cuanto menor es el número reflejado en milímetros. Es decir, por regla general, un 20 mm deforma más que un 35 mm. Existen objetivos angulares que tienen corregida esta deformación casi en su totalidad, sin embargo, son bastante caros. Únicamente son adquiridos por profesionales o aficionados a los que les gusta en particular el uso frecuente de los mismos.

4. Cada objetivo ofrece una luminosidad distinta según la abertura máxima de su diafragma. Esta abertura queda determinada por el número f - menor. En este caso f -1.8.

5. ¿Cómo se determina la luminosidad de un objetivo? ¿Son los teleobjetivos los menos luminosos?

R. La luminosidad de un objetivo queda determinada por la apertura máxima de diafragma que éste permite. En los teleobjetivos, ésta suele ser menor, por tanto son menos luminosos.

NUESTRAS PRIMERAS FOTOGRAFÍAS DIGITALES

A pesar de ser cierta la diferencia entre tomar fotografías con una cámara convencional y otra digital, el control que se tiene con respecto al resultado final gana en mucho con esta última.

En primer lugar, y mientras leemos los puntos básicos del manual, lo mejor es cargar las baterías si son recargables. Si la máquina no las incluye es muy aconsejable adquirir al menos un par de juegos, ya que las cámaras digitales consumen mucha energía. Todas las cámaras digitales incluyen como mínimo una pequeña tarjeta de memoria. A la hora de insertarla en la máquina, ésta debe estar apagada.

En el momento de tomar las primeras fotografías de prueba, debemos tener en cuenta que la exposición digital requiere más tiempo porque la cámara debe registrar la imagen en la tarjeta de memoria. Cada cámara indica este tiempo con un icono diferente, normalmente un reloj, o una luz. Lo importante es no apagar la máquina hasta que la fotografía haya quedado grabada en su totalidad.

Tras disparar, una buena costumbre es visualizar la instantánea en la pantalla LCD de la cámara, o monitor de cristal líquido. Algunos modelos muestran durante algunos segundos la fotografía que acaba de grabarse. Si queremos verlas por más tiempo, será necesario activar el modo reproducción del menú.

No es una buena costumbre ajustar parámetros de luz o color sobre la imagen visualizada en el monitor LCD. Este paso es mejor tomarse cuando vemos la fotografía a través de la pantalla del ordenador. El LCD debe utilizarse únicamente para determinar la distancia al motivo, aumentar o reducir la iluminación u observar resultados. Es más, ganaremos en estabilidad si a la hora de disparar nos decantamos por mirar a través del visor. Las primeras fotografías de prueba deben ser variadas: en interiores, con y sin flash, y en exteriores, con poca luz, subexpuestas y sobreexpuestas.

La descarga de las imágenes al ordenador se realiza por medio de una conexión USB. Sin embargo, el proceso de descarga puede simplificarse adquiriendo un lector de tarjeta. Este lector aparece en el equipo como una unidad, al igual que lo hace el CD-ROM o la disquetera. Para trabajar con ella, únicamente tendremos que hacer doble clic en «Mi PC» del escritorio Windows y, a continuación, doble clic en la unidad de lector de tarjeta. Las imágenes pueden guardarse en cualquier carpeta del disco duro.

La cámaras digitales incluyen un programa de visualización de imágenes que nos ayuda a seleccionarlas y clasificarlas pero que, en ningún caso, debe tomarse como referencia a la hora de ajustar parámetros como brillo, contraste o saturación. Para esto último, requeriremos un programa de edición de imágenes que haga de laboratorio digital.

A pesar de las importantes modificaciones que el editor de imágenes puede efectuar, es siempre conveniente ajustar la cámara para que la imagen llegue al ordenador con la mayor calidad posible. Además hay cosas con las que el programa informático se muestra del todo impotente: fotos desenfocadas, colores demasiado intensos o sobreexposición.

El manual de la máquina incluye cómo ajustar algunos parámetros para obtener mejores resultados.

La mayoría de las cámaras utilizan el formato JPEG para almacenar las imágenes. Aunque este formato comprime el documento, la calidad resultante es óptima. Sin embargo, otros formatos como TIFF o RAW guardan las tomas sin reducir la información, manteniendo toda la calidad, por lo que ocupan más espacio en la tarjeta de memoria.

Por último, un gran porcentaje de los modelos que podemos encontrar en el mercado incluyen la opción de balance de blancos. Con esta función, la cámara captará la luz tal y como se observa en la realidad. Las opciones más comunes a este respecto son balances para luz de tungsteno, fluorescente y flash.

Las máquinas más sofisticadas incluyen la posibilidad de reglar los valores lumínicos, realizando una lectura sobre una superficie blanca (un folio, por ejemplo) en el entorno donde vamos a tomar las fotografías.

PUNTOS CLAVE

▸ El primer paso es leer los puntos básicos de nuestro modelo en el libro de instrucciones.

▸ Debemos contar con al menos dos juegos de baterías recargables.

▸ Las digitales tardan unos instantes en grabar la imagen. Es importante no apagarla en esos momentos.

▸ Las tarjetas de memoria almacenan las imágenes que tomamos. Por tanto, es preferible contar con una de gran capacidad o varias de capacidad media.

EL ENCUADRE

Encuadre es algo tan sencillo como elegir una porción de realidad y fotografiarla y, sin embargo, en él reside la mayor parte de la creatividad de un fotógrafo. Conseguir encuadres sorprendentes, originales y llamativos comienza por educar la mirada para que las imágenes sean innovadoras.

Algunos artistas consideran que tener un «ojo creativo» es un talento natural. Otros creen que esto va surgiendo gradualmente a lo largo del tiempo. La verdad es que se va desarrollando con la experiencia, aunque también es cierto que más en unos que en otros.

De lo que no hay duda es de que la creatividad surge en el momento en el que decidimos dejar de imitar imágenes que ya hemos visto en alguna ocasión. Por tanto, se trata de adquirir confianza en lo que hacemos.

Cuando compramos una cámara fotográfica lo primero que tomamos son imágenes obvias, hasta que éstas nos van aburriendo de tal forma que cada vez realizamos menos fotografías. Sin embargo, comenzar por este tipo de instantáneas tiene sus ventajas.

Cuando se supera la etapa de las fotografías evidentes, comenzamos a observar nuestro entorno durante más tiempo antes de disparar, trabajamos más los aspectos técnicos, prestamos más atención al encuadre, sopesamos las distintas posibilidades dentro de un mismo

■ Si lo que llamó nuestra atención en la escena fue la espuma del mar rodeando las rocas, todo lo demás no sólo sobra sino que entorpece la comprensión de la idea que tuvo el fotógrafo.

■ Los encuadres cerrados centran toda la atención sobre el motivo elegido. Evitando incluir espacios o elementos superficiales, la intención del fotógrafo cobra más fuerza.

 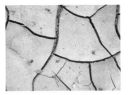  

■ En un encuadre podemos limitarnos en captar formas, texturas, luces o brillos. Es lo que se denomina grafismo y, en ocasiones, el espectador llega a ignorar qué es lo que se representa en la imagen. En estos casos, las sensaciones visuales son la esencia de la fotografía.

tema, y finalmente conseguimos una imagen personal y mucho más expresiva.

Estudiar la luz puede ayudarnos a encontrar pequeñas áreas de interés en el que se pongan de manifiesto juegos de texturas, formas, colores o claroscuros. Estos detalles se escapan de la mirada rápida y poco observadora. Finalmente, al cabo del tiempo, captar imágenes se convierte en algo natural.

Otro aspecto importante es definir minuciosamente el elemento esencial en cada toma, es decir, ¿qué queremos transmitir? Esto dependerá en gran medida del tema pero también de las ideas preconcebidas que arrastremos a la fotografía. Si nos desprendemos de tales ideas, conseguiremos una interpretación más creativa y personal de la realidad.

Un paso más allá son las imágenes abstractas o grafismo. Este tipo de fotografías permite que el espectador añada a la instantánea su propia imaginación, ya que son muy sugerentes sin llegar a ser imágenes cerradas y perfectamente definidas. Se trata de tomas evocadoras, que pueden transmitir diferentes estados de ánimo o conceptos.

PUNTOS CLAVE

▸ Los encuadres originales surgen de la confianza en la creatividad de uno mismo y de la observación.

▸ El grafismo no capta la identidad del objeto fotografiado, sino una imagen abstracta donde el «qué es» se sustituye por el «qué transmite».

▸ En el encuadre confluyen todos los valores técnicos: enfoque, velocidad, profundidad de campo, etc.

■ Inclinar el encuadre es un recurso creativo. El plano inclinado capta más espacio al trasformar la línea horizontal en una diagonal.

No podemos olvidar, en última instancia, las herramientas técnicas que facilitarán el alcance de nuestro objetivo: planos, elementos y pautas compositivas, profundidad, fondos, etc. Controlar estos aspectos en fotografía es tener recorrido más de la mitad del camino. Empecemos pues a caminar.

⊞ Relación fotógrafo-objeto

Para conseguir imágenes llamativas y con fuerza no es suficiente conocer los detalles técnicos de la fotografía, también es preciso saber cómo «mira» el ojo humano.

■ Con el contrapicado podemos estar por debajo del objeto retratado.

Por lo tanto, es fundamental la posición del fotógrafo con respecto al objeto. La relación entre éste y aquél se establece trazando una línea recta imaginaria entre la figura principal del encuadre y el objetivo de la cámara. Estamos, pues, hablando del punto de vista, que puede calificarse en normal, contrapicado, picado, nadir y cenital.

El plano normal es el que adopta el fotógrafo cuando éste se encuentra a la misma altura que el objeto. Este punto de vista carece de intención, es decir, no aporta ni resta protagonismo a ninguno de los elementos en juego (fotógrafo u objeto). Capta la realidad tal y como es.

Cuando el fotógrafo baja el ángulo de la cámara, está encuadrando un plano contrapicado. El contrapicado coloca al objeto en una posición de superioridad con respecto al espectador. Cuanto más contrapicado es el plano, más patente se hace este efecto. Con este tipo de planos hay que cuidar el efecto antiestético que pueden, por ejemplo, producir las arrugas de la papada si estamos retratando a una persona que mira a la cámara.

Cuando el contrapicado llega a los 90º (es decir, el objetivo mira completamente hacia arriba), estamos ante un plano nadir. Este plano no es muy frecuente, pero en ocasiones es muy útil para la fotografía arquitectónica, aumentando con él al máximo la profundidad mediante la convergencia de las líneas de

PUNTOS CLAVE

▶ Probar diferentes puntos de vista en una misma toma permite ver la realidad de una forma diferente.

▶ El plano normal capta la realidad tal y como es.

▶ Con la cámara colocada en ángulos más bajos, (contrapicados), el objeto adquiere un aspecto de superioridad o grandiosidad.

▶ Si la cámara se coloca en ángulos superiores al objeto (picados), éste aparece en relación de inferioridad con respecto al espectador.

▶ Los planos a 90º del suelo, tanto enfocando hacia arriba como hacia abajo (nadir o cenital respectivamente), son poco frecuentes pero están llenos de originalidad y de una gran carga creativa.

los edificios e, incluso, captando bóvedas y techos sin distorsiones. La grandiosidad de las formas arquitectónicas se agudizan con el nadir y, al mismo tiempo, logra imágenes con un marcado sentido gráfico (las formas en sí, desprovistas de su significado de conjunto).

El picado es el punto de vista opuesto al contrapicado, es decir, de arriba a abajo. Con este plano, el objeto queda en inferioridad con respecto al espectador. Este efecto puede aumentarse mediante focales cortas, ya que al subrayar la profundidad de la imagen, la figura queda sumida en el entorno. Lo mismo ocurre con respecto al contrapicado. Sin embargo, una focal larga, cierra el encuadre y disminuye el efecto psicológico de estos dos planos.

El plano cenital es el extremo del picado. Este punto de vista nos permite captar un conjunto sin detalles específicos.

Tanto el plano cenital como el nadir son ideales para conseguir originalidad en las fotografías, siempre y cuando haya cierta intención y lógica en el encuadre de las mismas.

Como vemos, aunque el fotógrafo esté aquí, el objeto allí y la cámara entre los dos, existe una relación «estrecha» entre ambos, que se establece en el momento en el que el punto de vista se pone en juego.

■ A través del plano cenital podemos obtener una original imagen.

■ El plano picado coloca al espectador en una posición de superioridad.

■ En este esquema quedan representados los dintintos ángulos de inclinación que puede adoptar el fotógrafo para tomar una imagen de un objeto desde distintos puntos de vista.

■ Un objetivo angular funde el plano nadir y el contrapicado en uno solo.

⊞ Elementos compositivos

En composición, es necesario tener en cuenta ciertas formas o aspectos que nos servirán de herramientas muy útiles. Una de estas herramientas son las líneas. En ocasiones, estos elementos aparecerán físicamente en la imagen, otras las dibujaremos mentalmente. Cada tipo de línea tiene un significado que no apreciamos pero que nuestro cerebro asimila rápidamente. Un buen fotógrafo sabe combinar las líneas para lograr armonía e interés en la imagen.

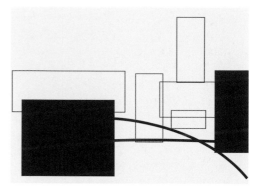

■ Cuando muchos elementos llamativos entran en el encuadre de forma desordenada, el caos se adueña de la toma. El ojo no sabe dónde detenerse y qué recorrido hacer, por lo que va saltando de un objeto a otro. En la imagen de la derecha, el esquema de la fotografía pone de manifiesto la falta de composición.

■ El aire deja respirar a la figura. Si este elemento compositivo se coloca tras una mirada, adquiere mayor sentido. La alternancia de espacios llenos y vacíos crea un ritmo compositivo que funciona muy bien. El aire en sí es un espacio que permite huir de la simetría y de la contaminación del encuadre u «horror vacui».

Las líneas verticales aportan sensación de acción, mientras que las horizontales sugieren serenidad. Las diagonales añaden dinamismo y rompen la monotonía. Las curvas resultan muy sensuales y atractivas.

De todas, las más apreciadas en composición son las diagonales que pueden ser de dos tipos. Si van desde el ángulo superior derecho al inferior izquierdo, se denominan líneas de fuerza, por su peso compositivo. Si, por el contrario, se dibujan desde el ángulo superior izquierdo al inferior derecho, se trata de líneas de atención, por ser las más llamativas al ojo del espectador. El uso de líneas diagonales conduce la mirada hacia el interés de la imagen, lo cual es de incalculable valor en fotografía. Tomemos como ejemplo una serie de diagonales que confluyan en un punto: éste será, indiscutiblemente, el centro de atención.

■ No siempre la simetría es sinónimo de falta de composición. En ocasiones, no se necesita más.

Otra herramienta compositiva es el balance. Si dividimos la imagen en dos mitades iguales, horizontal o verticalmente, según el caso, una parte no debe ser el reflejo de la otra, es decir, debemos huir de la simetría. Un elemento que la rompa despertará el interés del espectador, además de romper la monotonía de la imagen. En la mayoría de las escenas, el balance es asimétrico. En tal caso, la composición debería basarse en un punto principal y otro secundario, uno en cada mitad del encuadre.

Otro elemento compositivo es el aire. El aire es la porción de escena que rodea al motivo principal y que en sí mismo no tiene interés. Muchos fotógrafos sostienen que una figura debe «respirar». Esto puede significar dos cosas: el objeto debe estar suficientemente rodeado de aire y no verse «aprisionado» en el encuadre, o bien, el aire tiene que estar tan

■ Las líneas que confluyen describen recorridos, diagonales y formas triangulares que resultan muy atractivas en sí mismas, pero que a la vez ordenan los objetos que las rodean.

PUNTOS CLAVE

▸ La composición ordena y dirige la mirada del espectador a través de la imagen.

▸ Las líneas verticales añaden acción a la escena; las horizontales, serenidad, y las curvas, sensualidad.

▸ La disposición diagonal de los elementos aporta dinamismo al conjunto, rompiendo la monotonía.

▸ En imágenes simétricas necesitan un elemento que por su ubicación rompa la sensación de monotonía, y así captará toda la atención del espectador.

▸ El aire es el espacio que rodea a la figura principal. Tanto la ausencia como la presencia de este elemento compositivo debe ser cuidadosamente estudiada según cada caso.

▸ La mejor opción para eliminar el aire en imágenes que funcionan mejor sin él es reduciendo la profundidad de campo o cerrando el plano.

■ La línea de fuerza que recorre visualmente el espacio entre el rostro, la mano y el cuadro, permite centrar la atención sobre los elementos importantes.

bien eludido, que no se eche de menos o, incluso, se agradezca su ausencia.

El aire es uno de los principales elementos a tener en cuenta a la hora de realizar el encuadre. Facilita la composición de la toma y señala el recorrido de la mirada hasta el punto de atención. Su importancia es tal, que su ausencia queda, para bien o para mal, siempre patente.

Desenfocar el área que aquí denominamos aire ayuda a dar sentido a la composición y define con claridad qué es lo importante en la toma. Sin embargo, no basta con centrar la atención, sino que debemos cumplir ciertos principios, de tal manera que en sí mismo no resulta ser un elemento compositivo, sino que se sostiene y potencia otros muchos más elaborados, tales como las líneas, el balance o los tercios.

A pesar de que en la mayoría de las fotografías aparece el aire, éste

■ Las diagonales son atractivas en sí mismas. La hoja rompe la simetría y la monotonía de los adoquines como elementos en serie.

no es un componente imprescindible. De hecho, si cerramos el plano, descartamos del todo este elemento. Del mismo modo, el paisaje no posee aire en el sentido de espacio «vacío» o falto de interés, ya que en estas fotografías es el aire, el fondo general, lo que estamos encuadrando.

Al hablar de un elemento tan subjetivo es difícil aportar unas directrices a seguir, ya que estamos ante una herramienta muy intuitiva. Sin embargo, podemos empezar con un par de consejos. En primer lugar, no utilicemos medias tintas: o dejamos que la figura «respire», o arrojamos el aire del encuadre; un término medio puede resultar fatal, dando la sensación de claustrofobia o de que algo importante se ha sacado del encuadre.

En segundo lugar, si estamos ante un retrato en el que el sujeto mira hacia uno de los lados, coloquemos aire en la zona hacia donde mira, para enriquecer la imagen con cierta intención.

■ La espiral es una forma que atrapa y guía, literalmente, la mirada.

⊞ La regla de los tercios

Los fotógrafos que empiezan tienden a centrar las figuras dentro del encuadre. La simetría resultante suele convertirse en un error fotográfico bastante común, por su monotonía y carencia de expresividad.

La regla de los tercios en una de las posibilidades compositivas más adecuadas para romper la simetría, fortaleciendo, a la vez, el valor expresivo de la imagen. Esta regla se basa en las zonas áureas, que se determinan tras dividir la fotografía en tres partes iguales mediante rectas paralelas verticales y horizontales. Los puntos de intersección entre las líneas son las zonas áureas.

■ El horizonte sobre el tercio horizontal inferior de la fotografía subraya la perspectiva. La farola en el tercio vertical derecho sirve como punto de referencia espacial.

Estas intersecciones son los puntos más influyentes sobre la mirada del espectador, por tanto, será en ellas donde se colocará el objeto principal de la toma. No obstante, hay que ser prudentes y no saturar las cuatro zonas áureas con figuras llamativas, pues de ello resultaría una composición abigarrada y confusa.

Teóricamente, en la sección áurea debe ubicarse un solo elemento principal, que puede ir complementado por un objeto secundario sobre el ángulo contrario. Así, obtendremos una línea diagonal imaginaria que, además de reforzar la importancia de ambos elementos, añadirá dinamismo a la toma.

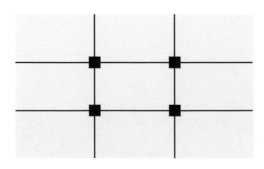

■ En este esquema, las líneas se denominan tercios ya que dividen en tres partes el encuadre. Los cuadrados son las zonas áureas.

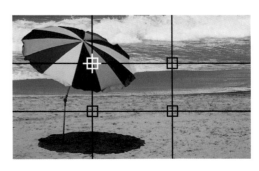

■ En este ejemplo vemos que aunque el horizonte está en el centro, la sombrilla se encuentra sobre una zona áurea con mucha fuerza compositiva.

■ Una torre esta sobre la zona áurea superior izquierda, mientras que la torre del reloj se encuentra en la opuesta (superior derecha). Esto crea una tensión compositiva que equilibra la imagen. Por otra parte, la línea horizontal de luces sobre el agua crea un contraste interesante frente a la verticalidad de las dos torres.

Las rectas utilizadas para determinar las secciones áureas pueden ser muy útiles para colocar líneas horizontales o verticales del motivo fotografiado. Por ejemplo, en el caso de un paisaje, la línea del horizonte sobre el centro de la composición conlleva monotonía e inexpresividad. Subiendo o bajando dicho horizonte hacia una de las rectas, ganaremos en profundidad y creatividad.

La regla de los tercios es una buena opción compositiva frente a un retrato. Colocando la mirada del sujeto en una zona áurea superior y, en el caso de estar encuadradas, las manos o algún objeto secundario en el ángulo contrario, el retrato tendrá un valor añadido sutil pero inestimable.

Sin embargo, y como todo en fotografía, esta regla no vale para todos los casos. De hecho, no suele funcionar en los planos muy llenos y cerrados, tanto en retratos como en fotografía macro, o en composiciones con varios elementos principales.

PUNTOS CLAVE

▸ Los tercios determinan los puntos de mayor interés compositivo o zonas áureas.

▸ Las zonas áureas se determinan dividiendo el encuadre en tres partes iguales horizontal y verticalmente. Los puntos de intercepción son los de mayor fuerza expresiva.

▸ Si la composición cuenta con dos elementos, uno debe estar en el punto opuesto al otro, describiendo una diagonal.

⊞ Los planos

Un factor primordial en la composición de la imagen es saber elegir el plano más adecuado al tema fotografiado o a las intenciones del fotógrafo.

Los tipos de planos dependen del ángulo de encuadre que capten. Estos planos abarcan desde los más abiertos, con un ángulo de cobertura amplio, a los más cerrados, con un reducido ángulo de cobertura.

Generalmente, la escala de planos queda emparejada con las longitudes focales del objetivo, de tal forma que los planos generales se relacionan con el uso de los objetivos angulares y los primeros planos con los teleobjetivos.

Sin embargo, esto no siempre es tan sencillo, ya que podemos recoger detalles con distancias focales largas y planos que, a pesar de ser captados con tele, siguen siendo generales.

Un plano se engloba en una categoría u otra según el espacio de la escena que encuadre. Los planos pueden ser largos, medios o primeros planos.

■ El gran plano general capta la localización de un paisaje, pero también añade bastante información sobre la geografía, el clima o la atmósfera que rodea el motivo. De todas formas, no se debe descuidar la composición. Encuadrar un objeto en primer término o colocar los horizontes en tercio mejorará la forma de presentar el tema fotografiado.

■ La diferencia entre un gran plano general y un plano general resulta evidente cuando realizamos una comparativa como ésta. En la imagen de la izquierda, el motivo aparece rodeado de todo su entorno. En la de la derecha, el pueblo aparece con más detalle. Las dos tomas dan a conocer un objeto de forma distinta.

Los planos largos o generales son los que ofrecen un ángulo de cobertura mayor en la escena. Su principal característica es que recogen el entorno en su conjunto, sin destacar detalles. Se trata de planos descriptivos y engloban la escena, dando una idea general de la situación geográfica o el lugar.

Dentro de los planos generales, podemos diferenciar el gran plano general, el plano general y el plano general conjunto. El gran plano general es el que más ángulo de cobertura presenta. Son perfectos para captar el tipo de geografía, el clima, la atmósfera...

■ Los encuadres desde la cintura o las caderas se engloban en los llamados planos medios.

El plano general empieza a tener en cuenta a los objetos concretos. Son los planos más utilizados para fotografiar grupos de personas, sin olvidar las referencias del entorno.

El plano general conjunto reduce el campo visual, de tal forma que los objetos empiezan a imponerse sobre el lugar donde se encuentran, aunque el fondo siga siendo un elemento muy influyente.

Los planos medios, o planos «de diálogo», centran la atención del espectador en el objeto. El entorno se diluye y empiezan a cobrar importancia los detalles más obvios. Podemos tipificar este tipo de encuadres en plano americano y plano medio.

■ El plano americano encuadra la parte superior desde el muslo. Así, siempre aparecen los brazos.

El plano americano corta al sujeto por encima de las rodillas. El origen de este encuadre se remonta a las películas del oeste donde no se quería perder emotividad en la escena pero también era necesario captar al personaje desenfundando el revólver. Este plano no es de los más utilizados, pues no resulta un encuadre natural a nuestra cultura visual. Sin embargo, es muy útil en el caso de querer fotografiar a dos personas sin alejarnos demasiado. La orientación preferente para este plano es la vertical.

■ En el plano general conjunto, aparecen los individuos completos junto al escenario donde se encuentran.

El plano medio se considera ya un plano retrato. Encuadra al sujeto por encima de la cintura. Con este encuadre queda perfectamente claro el foco de interés de la imagen y el fondo se desplaza a un plano muy secundario. Se pueden emplear encuadres horizontales y verticales para el plano medio, dependiendo de detalles como la postura, la dirección de la mirada o el fondo. Es preferible buscar un punto de vista no frontal, para añadir intención y emotividad a la imagen.

Una norma interesante en planos medios es no «cortar articulaciones», esto es, no cortar el encuadre justo sobre rodillas, tobillos, cintura, codos, hombros o muñecas, ya que dan una sensación de «mutilación» nada profesional.

Los primeros planos conducen la atención hacia el sujeto. Añaden emotividad a la fotografía y son ideales para captar la personalidad y el sentimiento, lo que ya en pintura se denominaba retrato «psicológico». En este formato se engloban el primer plano, el primerísimo primer plano y el plano detalle.

El primer plano es el más indicado para el retrato del rostro. Destaca los detalles y se olvida del fondo. Las tomas verticales priman en este tipo de planos, a no ser que aparezcan movimientos con las manos o queramos jugar con el aire haciendo así preferible el uso del encuadre horizontal.

El primerísimo primer plano es muy impactante, por su tremenda carga emotiva. Los detalles se captan completamente, hasta tal punto de que cualquier error o defecto puede «ensuciar» la toma.

■ Los primeros planos encuadran el rostro desde el busto. Cuidar detalles como el enfoque o la luz son vitales si queremos lograr retratos satisfactorios.

■ Con el primerísimo primer plano, ganamos en emotividad. Los detalles y defectos saltan a la vista. Cualquier fallo en la profundidad de campo o el enfoque sería fatal.

■ También en las manos podemos encontrar mucha carga expresiva. El primerísimo primer plano puede muy bien contar una historia encuadrándolas.

En el caso de un primerísimo primer plano no temamos cortar a la altura de la frente o la barbilla, pero nunca sobre el cuello o justo por encima del cabello.

El plano detalle es el plano más cercano. Suelen ser encuadres muy originales y creativos, ya que requieren de mucha observación por parte del fotógrafo. No debemos confundir este plano con la imagen macro. El plano detalle, como su propio nombre indica, muestra un pequeño detalle que, en un plano normal, pasaría desapercibido, esto no requiere en absoluto el uso del macro.

PUNTOS CLAVE

▶ Los planos largos ofrecen un ángulo de cobertura amplio y toman imágenes de espacios globales. Engloban al gran plano general, plano general y plano general conjunto.

▶ Los planos medios o planos «de diálogo» se centran en un objeto concreto, captando gran parte del mismo aunque no en su totalidad. En esta categoría se incluye el plano americano y el plano medio.

▶ Los primeros planos encuadran el objeto incluyendo una porción reducida del mismo y con mayor detalle. En estas fotografías el valor emotivo suele estar más marcado que en los planos medios, llegando a hablarse de retratos «psicológicos».

⊞ La perspectiva

Precisamente por ser un soporte bidimensional, uno de los retos constantes de la fotografía es conseguir mostrar cierta profundidad, captando con más realismo la tridimensionalidad de los objetos que nos rodean. Esto se consigue mediante la perspectiva.

La perspectiva es la apariencia que adquieren las figuras en relación con la distancia y la posición que guardan con respecto al observador. Una composición adecuada de las líneas y elementos de la escena construyen una correcta perspectiva.

Los principales ingredientes son: líneas convergentes y divergentes, tamaños relativos y zonas con diferente iluminación y nitidez. Las imágenes con marcada profundidad son más llamativas y atractivas que las planas y homogéneas. Las escenas donde se superponen los elementos de forma confusa resultan visualmente desagradables.

■ Arriba, un ejemplo de perspectiva lineal con el punto de fuga en zona áurea. Abajo, una perspectiva aérea marcada por cambios cromáticos.

■ La perspectiva juega, en este caso, con dos líneas de fuga paralelas (las rejas y las vigas) que convergen en un espacio lejano gracias al efecto visual.

■ Una sucesión de objetos idénticos que van empequeñeciéndose en la distancia consigue simular una profundidad que, por otra parte, resulta elemental. Si, por añadidura, esta sucesión resulta ser en sí misma el elemento esencial de la perpectiva lineal, el ojo realizará el recorrido completo a través de dicha línea hasta llegar al punto de fuga.

PUNTOS CLAVE

▶ La perspectiva consigue dar la ilusión de profundidad en un soporte plano.

▶ Las líneas convergentes y divergentes, los tamaños relativos y las zonas con diferente luz y definición crean la sensación de perspectiva.

▶ Las línas que convergen en un punto lejano no visible, denominado de fuga, construyen la perspectiva lineal. El punto de fuga suele situarse en una zona áurea.

▶ Los objetivos angulares exageran la perspectiva, los teleobjetivos la disminuyen.

▶ Una limitada profundidad de campo crea la perspectiva aérea por medio de la relación de planos nítidos y desenfocados, así como también la diferencia de iluminación en dichos planos.

■ Los objetos, la luz y la composición participan en la tridimensionalidad de forma conjunta. Un elemento en primer término siempre es un punto espacial de referencia.

Cuando creamos profundidad mediante la convergencia de líneas, estamos ante una perspectiva lineal, que consiste en encuadrar dos o más líneas paralelas que se prolongan hasta un hipotético infinito. Estas líneas acaban por juntarse, visualmente, en un punto denominado de fuga. Este punto suele ocupar alguno de los vértices de la zona áurea.

Otro recurso frecuente para acentuar la perspectiva es emplear focales bajas. Los angulares alejan los planos entre sí, de tal modo que el fondo se separa del elemento principal. Si a esto sumamos la convergencia de líneas y una amplia profundidad de campo, la tridimensionalidad saltará a la vista. Por el contrario, el teleobjetivo aplana la imagen, por lo que no es, precisamente, la lente más adecuada para este fin.

Del mismo modo, los angulares exageran la diferencia de tamaño entre los objetos del primer término y los del fondo, siendo, para este fin, un factor más a nuestro favor.

Si disminuimos leve pero perceptiblemente la profundidad de campo abriendo el diafragma, los planos se separan por la diferencia de nitidez entre los mismos. Si, además, las condiciones lumínicas cambian del primer término al último, conseguimos una perspectiva aérea, es decir, captamos el «aire» entre los planos.

La misma escena contiene las pistas en cuanto a lentes, iluminación, profundidad de campo y composición con las que el fotógrafo debe jugar para añadir la tercera dimensión a la imagen.

El fondo

Cualquier imagen se divide en dos partes: el objeto principal del encuadre, donde se centra nuestra atención, y el fondo sobre el que dicho objeto aparece. Una buena fotografía requiere de una armoniosa relación entre estos dos elementos. Sin embargo, con frecuencia, disparamos buscando simplemente un buen encuadre del motivo principal y trabajamos con el enfoque y la exposición a la luz, olvidándonos, en ocasiones, del fondo, con el resultado consiguiente de transformar una buena fotografía en una mediocre.

El fondo de un encuadre es un elemento realmente importante en la imagen. Un fondo mal utilizado generará un caos que incide negativamente sobre el objeto principal de nuestra toma, distrayendo la atención del espectador que no sabrá dónde detener la mirada. Los fondos nítidos y repletos de elementos provocan sensación de caos. En

■ En ocasiones, el fondo no solamente es el adecuado sino que se concibe como protagonista o complementario al motivo principal.

estos casos, la solución puede encontrarse en un reencuadre, donde eliminemos elementos de nuestro visor, o en un cambio de nuestro punto de vista. A veces el problema es dónde se encuentra el fotógrafo y no dónde se encuentra el objeto: cambiando nuestra posición podremos variar la percepción del fondo y su relación con el objeto de nuestro interés.

Cada tipo de fotografía tiene su tratamiento del fondo. Así, cuando se trata de tomar paisajes, conseguir fondos perfectamente nítidos y detallados es lo ideal; en los retratos, necesitaremos desenfocar totalmente el fondo, hasta reducirlos a manchas ininteligibles de color que resalten al objeto y no distraigan la atención del mismo.

El problema surge cuando no podemos adecuar el fondo al tipo de imagen que deseamos captar. A veces, el fondo no permite variaciones; en ese caso únicamente nos queda reencuadrar, desenfocar, y en definitiva, ocultarlo de alguna manera.

Un buen fondo puede ofrecernos un mayor margen de maniobra pero a la vez puede ser un punto en nuestra contra, ya que si el fondo es real-

PUNTOS CLAVE

▸ Una buena fotografía requiere una relación armoniosa entre el objeto principal y el fondo.

▸ Un fondo caótico puede sacarse de la imagen desenfocándolo, cerrando el encuadre o variando el plano.

▸ Generalmente, en los paisajes el fondo debe estar enfocado; en los retratos, no.

▸ Los fondos demasiado luminosos pueden corregirse cerrando el diafragma y utilizando el flash.

■ El fondo debe aumentar el sentido estético de los elementos protagonistas. De no ser así, tendría que quedar reducido a manchas de color u oscuridad. Por otra parte, el último término también puede desviar la atención del elemento principal.

mente atractivo, puede convertirse en un elemento más llamativo que el propio objeto. Éste es el motivo por el que el desenfoque del fondo puede ser la solución más adecuada.

Sin embargo, el desenfoque del fondo es uno de los puntos débiles si nuestra cámara digital no cuenta con la posibilidad de controlar la abertura del diafragma. La solución en estos casos es buscar un fondo de color plano que dé una sensación falsa de desenfoque. Si resulta imposible cambiar el fondo, algo, por lo demás, muy habitual, una salida bastante honrosa es cerrar el plano elimiando el fondo. Incluso, sin pretenderlo, habremos conseguido un efecto expresivo extra, ya que estos planos tan cercanos suelen estar más llenos de fuerza y emotividad.

Otra dificultad se encuentra en la propia naturaleza del fondo. Es decir, un fondo brillante puede ocasionarnos reflejos indeseados. Del mismo modo, hay fondos demasiado iluminados. Para este tipo de problemas, las soluciones no son fáciles pero no siempre funcionan. Un reflejo únicamente puede evitarse escapando de la perpendicularidad con respecto al fondo, y siempre será un buen aliado para estos casos disponer de un filtro polarizador. En cuanto a un fondo sobreiluminado en el que el fash no consigue equilibrar el conjunto, lo más indicado es «quemarlo del todo», aunque de esta forma nos arriesgamos a eliminar los contornos del objeto principal, creando una sensación de irrealidad que no siempre resulta atractiva.

En cualquier caso, podemos optar por «ocultar» el fondo si éste nos desagrada, dejándolo a oscuras. Un buen uso de la medición puntual (tomando la lectura de la luz en un sólo punto concreto), combinado con un destello del flash y un teleobjetivo de calidad, consigue iluminar el objeto principal, dejando el resto en una oscuridad que nos habrá solucionado el problema.

Del mismo modo, nos podemos encontrar un fondo más iluminado que el objeto principal. Si pretendemos captar el contraste sin que el fondo se queme o la figura aparezca oscura debemos hacer lo siguiente: hacer una exposición larga, al menos 1/15 segundos, y añadir un destello de flash que congele y capte el objeto en primer término. A pesar del flash, debemos disponer de un trípode si queremos evitar el temblor del pulso que, en este caso, quedaría de manifiesto en los detalles del fondo.

■ Cuando colocamos un objeto en primer término para aumentar la perspectiva pero enfocamos el fondo, éste pasa a ser el motivo principal.

Si nos encontramos con una de esas situaciones en las que nada podemos hacer con el fondo, intentemos lucirnos con el objeto principal mediante efectos creativos o de composición para restar protagonismo a la fuente de nuestro problema.

«Si no puedes con tu enemigo, únete a él». En ocasiones interactuar con un fondo horrible puede dar como resultado una imagen original o, cuanto menos, divertida. Colocar a un bebé entre el desorden de su dormitorio (con trastos en primer y último término) puede resultar más efectivo que un fondo caótico.

PREGUNTAS Y RESPUESTAS

1. ¿Cómo salvar las típicas fotografías familiares que suelen tomarse en interiores reducidos y con fondos poco atractivos?

R. Estas imágenes suelen plantear serios problemas estéticos, sin embargo, cerrar el encuadre puede evitar fondos poco acertados. En cualquier caso, la originalidad puede ser la opción más acertada. Por ejemplo, una toma con plano contrapicado puede ignorar en gran medida el entorno al mismo tiempo que se capta el objeto desde el punto de vista de un bebé.

2. Hay ocasiones en las que se hace inevitable tomar una fotografía en contrapicado o picado. Sin embargo, ¿existe algún truco para suavizar este efecto?

R. Cuando tengamos que captar una imagen con un ángulo diferente al normal y no deseemos hacerlo, podemos ocultar el efecto, si el ángulo no es demasiado pronunciado, empleando el teleobjetivo.

3. ¿Cómo evitar la aparición de cables de luz o teléfono en las fotografías de paisajes?

R. A veces, cuando encuadremos un paisaje precioso con una gran porción de cielo, aparecen antiestéticos cables que convierten en artificial cualquier entorno por idílico que éste sea. Para sacar estos elementos fuera de la toma, la mejor solución es utilizar un teleobjetivo y abrir bastante el diafragma. De este modo, el reencuadre puede eliminar el problema y la abertura restar nitidez a todo lo que no sea el fondo.

4. Aunque una se imponga sobre la otra, la perspectiva aérea y lineal suelen presentarse juntas.

5. Con el grafismo de esta imagen la importancia no reside en la duna en sí, sino en la elegancia de una línea sinuosa que separa en dos colores planos el sol y la sombra.

4. ¿Qué diferencias existen entre la perspectiva aérea y la lineal?

R. La perspectiva aérea capta la profundidad o tridimensionalidad de una imagen a través de los efectos que el propio aire crea en los planos alejados. Un punto lejano aparecerá menos definido, claro y azulado que un elemento en primer plano. La perspectiva lineal refleja la profundidad a través de líneas reales o visuales que confluyen en algún punto del infinito, al que denominamos punto de fuga.

5. ¿Qué es el grafismo?

R. El grafismo es el encuadre de elementos o partes de ellos cuyo valor expresivo se encuentra en conjunción de formas, luz y textura, no en el significado mismo de los elementos en sí.

6. ¿Qué es el aire y cómo captarlo?

R. El aire es todo aquel espacio que no está lleno de elementos destacados y enfocados. Cada escena requiere un encuadre diferente en cuanto al aire. Sin embargo, la buena utilización de este elemento permite que los objetos encuadrados «respiren», es decir, aparezcan desahogados. Por otro lado, no todas las tomas tienen que contar con el aire. Algunos primerísimos planos y algunos grafismos determinados funcionan mejor sin él.

7. ¿Qué es el balance?

R. Un fotógrafo debe huír de la simetría total. El balance es la ruptura de una imagen simétrica mediante la presencia o ausencia de un elemento en una de las partes. La asimetría puede también conseguirse mediante la utilización de un plano inclinado.

6. La necesidad de incluir el aire en la toma se hace patente cuando lo excluimos del encuadre y vemos cómo el sentido de la imagen cambia.

7. En esta toma se ha realizado un balance de una imagen simétrica inclinando el encuadre.

49

LA LUZ

La más común de las luces, la solar, se caracteriza por ser totalmente blanca. La luz blanca es una mezcla de luces de diferentes colores, exactamente los siete colores que aparecen en el arco iris.

El arco iris es un efecto óptico que es visible porque la luz se dispersa al entrar en contacto con las gotas de lluvia. La causa de esta dispersión se debe a que cada color tiene una longitud de onda distinta; la más larga corresponde al rojo, y la más corta al azul. Así vemos que la luz es la causa directa de la visualización de los distintos colores que podemos encontrar en nuestro entorno. Del mismo modo, su ausencia produce la oscuridad y las sombras.

Alguna vez habremos observado que los focos pequeños proyectan sombras nítidas y reproducen el perfil de los objetos. Cuando el foco es mayor, la sombra dibujada por los objetos que ilumina va acompañada de un área de penumbra. Ningún foco es totalmente puntual, por tanto, en mayor o menor medida, todos producirán una zona de penumbra además de la sombra propiamente dicha.

Otro aspecto a tener en cuenta es el efecto que la luz produce sobre los objetos para que éstos sean vistos por el ojo con unas características determinadas.

Cuando la luz incide sobre un cuerpo, éste la devuelve en mayor o menor proporción según sus propias características: brillo, textura, color... Este fenómeno se denomina reflexión y gracias a él podemos ver lo que nos rodea.

Alguna que otra vez, hemos calculado mal la profundidad de un lago o una piscina creyendo que el fondo estaba mucho más próximo. También habremos observado cómo objetos introducidos bajo el agua parecen tener otro tamaño al que realmente tienen sobre la superficie. La explicación está en la refracción.

Cuando la luz pasa de un medio transparente a otro (del aire al agua, por ejemplo) se produce un cambio en su dirección debido a la distinta velocidad de propagación que tiene en los diversos medios materiales.

Conocer estos aspectos básicos de la luz resulta muy útil, ya que técnicamente hablando, la fotografía es una disciplina que avanza y mejora en la medida en la que se controla la luz y sus efectos sobre los objetos de nuestro entorno.

■ La luz es para el fotógrafo lo que los colores al pintor o las palabras al poeta. La incidencia de la luz sobre los objetos, su intensidad, ángulo y color determinarán de manera definitiva cómo actuar para captar adecuadamente una escena, porque no cabe duda de que la luz es la esencia de la fotografía.

El diafragma

En casi todas las cámaras compactas de carrete las funciones son automáticas y al no poder acceder a ellas tampoco podemos controlarlas. Sin embago, muchas de las nuevas máquinas digitales nos despliegan un amplio abanico de opciones. Comencemos por la abertura del diafragma.

La abertura del diafragma nos indica la cantidad de luz que llega hasta el CCD de la cámara. Dicha abertura viene expresada por un número f- inversamente proporcional a la intensidad de luz que conseguimos. Es decir, las aberturas pequeñas que dejan paso a menos luz van expresadas por números f- altos, mientras que las grandes aberturas que permiten captar más intensidad lumínica se corresponden con números f- bajos.

■ Con diafragmas muy cerrados podemos conseguir que un elemento cercano y otro mucho más alejado parezcan estar en el mismo plano.

■ Disminuir la profundidad de campo no tiene por qué acompañar a un fondo inapropiado. En ocasiones, un fondo desvaído es más sugerente.

El diafragma está asociado directamente con la velocidad de obturación y con la profundidad de campo. En condiciones normales, si abrimos el diafragma debemos aumentar la velocidad de obturación, ya que esta última indica cuánto tiempo se encuentra abierto el obturador mientras está dejando que entre la luz hasta el CCD. Modificar, por tanto, la abertura del diafragma conlleva, como veremos más adelante, variar la velocidad de obturación. Si cerramos en exceso el diafragma de nuestra cámara, nos veremos obligados a trabajar con velocidades bajas que pueden acarrear efectos de temblores de nuestro pulso o de movimiento del objeto.

■ Para evitar la monotonía compositiva, cuando trabajamos con una amplia profundidad de campo es conveniente añadir un elemento en primer término que ayude a crear perspectiva.

■ Restringir la profundidad de campo, abriendo el diafragma, aumenta la sensación de profundidad y tridimensionalidad.

La profundidad de campo indica el área que permanece nítida. Si abrimos el diafragma, disminuye la profundidad de campo, y si lo cerramos, aumenta. Los fotógrafos novatos buscan siempre una gran profundidad de campo, es decir, quieren que tanto los objetos más cercanos como los del fondo estén bien definidos. Sin embargo, contamos con un gran poder expresivo cuando reducimos la profundidad de campo dejando zonas borrosas, ya que eliminamos la

PUNTOS CLAVE

▶ La abertura del diafragma determina la cantidad de luz que entra en el CCD de la cámara en el momento de disparar.

▶ A mayor abertura, menor profundidad de campo o espacio nítido antes y después del punto de enfoque.

▶ Cuanto más cerrado está el diafragma, más lenta debe ser la velocidad de obturación para así captar la luz adecuada.

■ Estamos ante una comparativa de dos imágenes con encuadre idéntico. El ejemplo de arriba se tomó con una abertura de diafragma mayor y velocidad 1/250, por lo que la profundidad de campo es menor. El de abajo es el mismo motivo tomado con una abertura menor reduciendo la velocidad a 1/60. El punto de enfoque en ambas es el mismo.

posibilidad de llamar la atención sobre objetos superfluos y la conducimos hacia los que nos interesan. Por otra parte, con un fondo desenfocado conseguimos dar sensación de relieve al objeto principal.

La profundidad de campo elevada es la más aconsejable para los paisajes, mientras que los retratos se ven realzados si restringimos dicha profundidad.

La mejor forma de controlar el desenfoque es trabajando en modo manual, dando prioridad a la abertura. Es decir, nosotros fijamos la abertura y la cámara utilizará la mejor velocidad de obturación.

Esto no significa que nos podamos olvidar de dicha velocidad, sino que debemos siempre vigilarla ya que si las condiciones de luz no son óptimas, nuestra cámara trabajará con velocidades demasiado lentas, surgiendo así los problemas. En ese caso, deberemos disminuir el número f-, es decir, abrir más el diafragma, para que la velocidad aumente.

En ocasiones, cuando es precisamente el movimiento lo que queremos captar en nuestra imagen, mantendremos el diafragma bastante cerrado para disminuir la velocidad y que el objeto quede recogido junto con su movimiento.

■ Todo lo que entra en el encuadre nos parece atractivo y la luz es perfecta. Estamos ante un momento óptimo para cerrar el diafragma; así conseguiremos una profundidad de campo tal que incluso el punto de enfoque no tiene por qué ser demasiado preciso.

⊞ El número ISO y la medición de la luz

El valor ISO es una variable más con la que podemos contar a la hora de captar la luz de un momento determinado, conjugándolo con la abertura del diafragma y la velocidad de obturación. El número ISO determina la sensibilidad a la luz de una película fotográfica (en las cámaras analógicas) o del CCD (en las cámaras digitales). Esto es, una película muy sensible necesitará menos luz, ya que se quema con más facilidad.

Tradicionalmente, los fotógrafos contaban con películas más lentas (menos sensibles) que necesitaban mucha luz para impresionar (desde 12 a 80 ISO); películas normales (de 100 a 400 ISO), y películas rápidas (desde 800 a incluso más de 6400 ISO).

La tecnología digital ha aportado una ventaja a la fotografía en este sentido, ya que no necesitamos cambiar de carrete para variar el ISO con el que trabajamos, sino que lo podemos modificar de una a otra toma.

A un ambiente con mucha luz le corresponde un número ISO bajo; a falta de luz, un ISO alto.

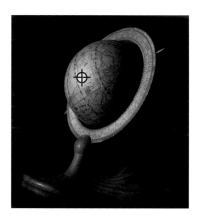

■ La medición puntual solamente tiene en cuenta el punto exacto donde indiquemos que debe hacer la lectura, el resto del encuadre no influye en absoluto.

Sin embargo, hay que tener en cuenta que el uso de los ISO más sensibles (rápidos) conlleva la aparición de lo que en el mundo digital se denomina «ruido». El ruido, como el grano en la película tradicional, se manifiesta por toda la superficie de la fotografía en forma de pequeños puntos. Esto es más fácil de apreciar en las zonas oscuras de la imagen, y sobre todo en las exposiciones largas.

Estos puntos se encuentran siempre en la fotografía; sin embargo, se hacen más visibles cuanto mayor es el ISO. Por supuesto, también depende de la calidad de nuestra cámara. Un ejercicio muy interesante para determinar la aparición de ruido con valores altos de ISO en nuestra cámara es utilizar en una misma escena varios ISO distintos con las consiguientes variaciones de abertura y velocidad.

En los espacios cerrados y con mala iluminación, lo más aconsejable es utilizar un ISO alto, sobre todo si queremos trabajar con luz ambiente. Si, por el contrario, nos decantamos por el uso del flash, podemos emplear un ISO bajo, puesto que en espacios reducidos la luz del destello será suficiente.

Si el espacio es más amplio, aun usando el flash, debemos seleccionar un ISO algo más elevado, teniendo en cuenta que el destello no iluminará todo el área que aparece en el encuadre, por lo que la luminosidad se irá perdiendo gradualmente hacia el fondo.

Con condiciones de luz favorables, un día soleado en el campo, por ejemplo, las variables aumentan: podemos utilizar un ISO bajo, ya que la luz ambiente lo permite, pero, al mismo tiempo, podemos emplear un ISO alto, si nuestro propósito es desenfocar el fondo abriendo el diafragma, o congelar un movimiento, aumentando la velocidad de obturación.

Una opción imprescindible que debe incluir una cámara digital para evitarnos muchas desilusiones es el fotómetro o exposímetro. De no ser así, siempre podemos adquirir uno manual independiente del cuerpo de la máquina.

■ La medición de luz central o ponderada al centro toma como valor de referencia prioritario el centro del encuadre compensado, en menor medida, con el resto.

El fotómetro es una célula fotosensible, es decir, sensible a la luz, que calcula la óptima relación entre la abertura del diafragma y la velocidad de obturación, en base a la luz que capta. Tomando de referencia los datos del exposímetro, conseguimos que el CCD reciba la luz necesaria para que la exposición sea correcta.

Existen dos formas distintas de medición de la luz con el fotómetro: la medición incidente y la medición reflejada.

La medición por luz incidente se realiza exponiendo el fotómetro directamente a la fuente lumínica (a la principal, si hay varias). Su mayor ventaja es que los índices de reflexión no influyen en la lectura. Sin embargo, esta forma de medición no tiene en cuenta los filtros colocados sobre el objetivo o la mayor o menor luminosidad del mismo. En este caso, habría que variar la lectura manualmente. Por ello, ésta es la medición menos aconsejable para los fotógrafos que empiezan, pero en cambio suele ser la preferida de los profesionales de estudio.

PUNTOS CLAVE

▸ El número ISO determina la sensibilidad a la luz con la que la cámara trabaja en el momento de hacer la fotografía.

▸ Un entorno bien iluminado necesitará un ISO más bajo que otro con carencia de luz.

▸ Los valores ISO demasiado altos, es decir, más sensibles a la luz, producen un efecto visual adverso o trama que se denomina en el argot fotográfico como «ruido digital».

▸ El fotómetro es una célula fotosensible, normalmente incorporada en el cuerpo de la cámara aunque también los hay independientes, que indican la intensidad de luz que baña la escena y calcula la abertura y velocidad necesarias para captarla adecuadamente.

▸ Las mediciones lumínicas más frecuentes son la puntual, central y matricial. No todas las cámaras incluyen las tres, pero es una opción importante que debemos buscar si pretendemos comprar una máquina que nos ofrezca amplias posibilidades técnicas y creativas.

▸ La medición puntual tiene en cuenta un espacio muy reducido del encuadre. Es el más utilizado cuando lo que interesa es la iluminación de un espacio muy concreto (retratos y planos cortos).

▸ La medición central realiza una media entre el centro y el resto del encuadre. El resultado es más equilibrado y homogéneo que en la medición puntual.

▸ La medición matricial toma como referencia la totalidad del encuadre. Esta opción es la más aconsejable en espacios amplios donde la luz es suave (paisajes u objetos poco contrastados).

▸ Con el tiempo y la práctica el fotógrafo va conociendo la reacción del fotómetro de su cámara y sabe compensar las lecturas en situaciones complejas.

La medición reflejada mide la luz que proyectan todos los objetos del encuadre a través del objetivo hasta el exposímetro. La mayor ventaja es que en la lectura entran todas las variaciones de la luz reflejada en los distintos objetos, que varía según color, textura, naturaleza física, brillo, etc. Al tomarse la medición a través de las lentes, se tienen en cuenta tanto los filtros empleados como la luminosidad del objetivo.

Los fotómetros pueden medir la luz reflejada de cuatro formas: puntual, central o ponderada al centro, zonal y matricial. La mayoría de las cámaras de calidad media cuentan con una sola de ellas, normalmente la central o la matricial. Las máquinas más avanzadas permiten seleccionar el esquema de medición según el criterio del fotógrafo para cada situación.

La medición puntual tiene en cuenta únicamente un pequeño punto de la escena (el centro del encuadre), que viene a representar entre un 2 y un 5% del total, dependiendo de la cámara. Este sistema es el mejor cuando lo que interesa realmente es algo muy concreto de la escena, olvidándonos, hasta cierto punto, de lo que lo rodea, que puede quedar subexpues-

■ La medición zonal toma como referencia el punto de enfoque. En este caso, es una zona de la roca que recibe el sol. Por ello las zonas soleadas aparecen con más detalle.

to (falto de luz) o sobreexpuesto (con exceso de luz). Sin embargo, es fundamental asegurarse de que estamos «apuntando» bien hacia el lugar concreto que nos interesa, ya que en la precisión y restricción de la lectura puntual se encuentra precisamente su talón de Aquiles; si nos desviamos tan sólo un poco, podemos obtener un valor equivocado.

Esta medición es muy recomendable en los retratos donde queremos captar la textura y los detalles de la piel, quedando en segundo término el pelo, la ropa o el fondo.

La medición central o ponderada al centro realiza una media entre la zona central (aproximadamente un 10 % del encuadre) y el resto, pero considerando preferentemente aquella. Es decir, el exposímetro valora la lectura del centro en un 60 ó 70 % de la lectura final y la compensa con el resto (30 ó 40 %). Esta medición sigue siendo precisa para unas zonas y resta importancia a otras, pero el resultado es mucho más equilibrado que en la medición puntual. Su uso se recomienda cuando la lectura puntual es demasiado limitada y puede inducir a errores.

■ La medición matricial hace una media entre todas las lecturas recogidas en el encuadre. Es la más adecuada en iluminaciones homogéneas.

Los fotómetros que aplican la medición zonal son denominados «evaluativos», ya que tienen en cuenta el enfoque, aunque éste no se encuentre en el centro. Su funcionamiento es similar al de medición central, sin embargo mide la totalidad de la luz en base al punto de enfoque automático activo y no al resto del cuadro.

La medición matricial toma como referencia todo el encuadre, realizando una media de la intensidad de la

■ Cuando nos encontramos con un motivo donde dos zonas lumínicas distintas llaman nuestra atención, la mejor opción es hacer dos lecturas puntuales, una en cada zona. A continuación, utilizamos una exposición media y repetimos la toma con un valor por encima y otro por debajo.

luz entre todos los valores que capta. Esta modalidad es muy útil para escenarios amplios en las que ningún tono es preferente: paisajes, espacios amplios, objetos poco contrastados... Por el contrario, su utilización no es recomendable donde aparezca una escena muy contrastada (espacios a la sombra y al sol en un mismo encuadre, por ejemplo).

Cuando nos encontramos en situaciones mixtas donde sea complicado decantarse por una medición, podemos hacer varias tomas utilizando las distintas lecturas; así iremos conociendo la reacción del fotómetro de nuestra cámara ante las situaciones adversas. No olvidemos, además, tomar notas de referencia para poder analizar las fotografías cuando, posteriormente, las estudiemos en la pantalla.

En las ocasiones en las que son varios los objetos de interés, el fotógrafo debe tomar los datos del fotómetro como mera referencia, y calcular él mismo la medición final tomando la luz reflejo de los puntos principales y compensándola según su interés.

El exposímetro sólo puede «ver» en blanco y negro, o más exactamente, en gris. Esto significa que el fotómetro parte del supuesto de que todo lo que capta es gris. Para garantizar que los valores obtenidos son fiables, todos los fotómetros están calibrados de acuerdo con la cantidad de luz que refleja una tarjeta gris. Esta tarjeta refleja el 18 % de la luz que incide sobre ella. Debido a este mecanismo, la medición de luz reflejada no es exacta cuando las escenas reflejan un porcentaje mayor o menor del 18 % de la luz que reciben. Así, en un ambiente «quemado por la luz» (un desierto, una playa de arena clara, en la nieve...) tendremos que abrir un poco el diafragma o disminuir la velocidad, ya que los blancos están literalmente «engañando» al exposímetro haciéndole creer que hay aún más luz de la real. En zonas iluminadas pero con objetos oscuros que abarcan mucho encuadre (como puede ser una persona escribiendo sobre una pizarra), debemos cerrar algo el diafragma o aumentar la velocidad, por la misma razón.

A pesar de todo, podemos «engañar» al fotómetro en los casos en los que la reflectancia no es media, sin necesidad de tocar el diafragma o la velocidad. Muchas cámaras digitales disponen de una herramienta denominada compensador de exposición que cuenta con valores positivos y negativos. Si nos encontramos con una escena extremadamente iluminada, debemos añadir exposición, por tanto, subamos el valor en el compensador. En el caso contrario, bajémoslo. Ahora bien, para determinar cuántos puntos son necesarios subir o bajar habría que tener en cuenta tantos factores (modelo de cámara, calidad de las lentes, niveles de brillo...), que lo más acertado es hacer varias tomas con distintos valores. Llegará un momento en el que conozcamos suficientemente la reacción del fotómetro y de la cámara, e intuitivamente sabremos modificar dichos valores.

■ Fotografiar imágenes que incluyen zonas lumínicas muy contrastadas, realizando una media entre dos lecturas, ayuda a conocer las reacciones del fotómetro.

■ La luz en sí misma es un magnífico motivo de fotografía. Su intensidad, su color y su efecto en los objetos sobre los que se proyecta llenan de sentido un encuadre.

■ Cuando contamos con objetos estáticos y alguno en movimiento, éste queda potenciado por el contraste: serenidad y dinamismo en una misma toma.

■ Todo es relativo, incluso el movimiento. El fotógrafo permanece quieto ante la visión del ciclista en movimiento que baja la montaña.

⊞ La velocidad de obturación

Una de las opciones más interesantes y útiles que puede incluir una cámara digital es el control de la velocidad de obturación. Como ya sabemos, el obturador es un dispositivo que determina el tiempo que la luz incide en el CCD. La cantidad de luz que captamos viene dada por la relación entre la abertura del diafragma, la velocidad de obturación y la sensibilidad del CCD.

Así pues, podemos trabajar con estas tres variables dependiendo de las condiciones lumínicas con las que contemos, el tipo de imagen que queremos captar, los valores creativos, el enfoque, la profundidad de campo y el contraste. Si utilizamos una misma sensibilidad, una velocidad de obturación más rápida, exigirá una abertura de diafragma mayor, y viceversa. Pero si queremos utilizar una abertura y velocidad determinadas, podemos jugar con la sensibilidad. A mayor sensibilidad, la fotografía necesitará de menos luz, por tanto, podremos emplear aberturas más cerradas y velocidades más altas.

Una vez comprendida la parte técnica, debemos preguntarnos qué es lo que pretendemos recoger en nuestra imagen. Aunque parezca obvio, una foto movida y una foto con movimiento no es lo mismo. Un fotógrafo novato se deja impresionar con frecuencia por las velocidades altas, ya que éstas llegan a captar lo que el ojo humano no puede, por ejemplo, las gotas aisladas en un chorro de agua.

El modo de prioridad de abertura del diafragma permite al fotógrafo variar la velocidad. Esta opción es fundamental cuando pretendemos jugar con el movimiento más que con la profundidad de campo y el enfoque.

■ En la fotografía urbana los vehículos suelen ser un incordio, sin embargo, cuando son captados junto con su movimiento aumentan el realismo de la imagen.

Partimos de que cada situación requiere una velocidad. Sin embargo, conviene puntualizar que una velocidad que es alta para un momento determinado, puede resultar baja para otro. Comparemos el movimiento de una persona corriendo con el de una moto que compite en un circuito. Si olvidamos la relatividad de la velocidad que acabamos de indicar, podremos generalizar los términos de velocidades lentas o rápidas: se consideran velocidades bajas a las menores de 1/100 segundos, y a partir de éstas se consideran velocidades altas.

Debemos explicar el significado de las cifras que determinan la velocidad para que nos hagamos una idea del tiempo que el diafragma se encuentra abierto cuando nos valemos de ella. Tomando como ejemplo la velocidad 1/100, el CCD recibe luz durante una centésima de segundo, o lo que es lo mismo, a esa velocidad, en un segundo el obturador podría abrirse cien veces. Esto no significa que podamos efectivamente hacer cien fotografías por segundo, ya que el mecanismo de la cámara es muchísimo más lento que el obturador.

La prioridad en las primeras fotografías de un aficionado es obtener el movimiento congelado en situaciones donde esto es difícil, ya que las compactas no suelen satisfacer esta exigencia. El movimiento congelado se obtiene con velocidades altas de obturación. Esto que en principio parece sencillo requiere de una aclaración: de nada nos serviría utilizar la velocidad 1/2000 para fotografiar la fachada de una catedral, ya que ésta carece por completo de movimiento. Sin embargo, si así lo hacemos estamos limitando nuestras posibilidades de jugar con la abertura y la sensibilidad, restringiendo los efectos creativos finales. Esta modalidad de disparo debe quedar reservada para los momentos que requieran de ella; momentos en los que nuestra cámara debe ser más rápida que nuestro propio ojo. Dejemos congelada la pelota de tenis

■ Las fotografías acuáticas dan mucho juego. Toda criatura parece desplazarse de manera ralentizada, pero de pronto escapa. Hay un cambio de ritmo constante.

Relación ISO-Velocidad-Abertura

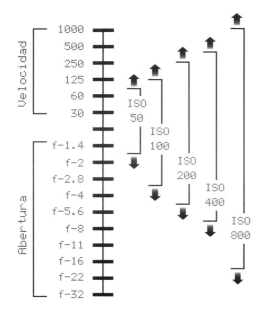

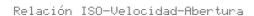

■ En una situación lumínica determinada, un ISO 50 ofrece una horquilla de combinaciones de velocidad y abertura muy inferior al de ISO 800, mucho más sensible.

antes de que el jugador la golpee, deteniendo así al propio tenista con una expresión totalmente inusual. Si en este último caso utilizásemos una velocidad demasiado baja, sólo obtendríamos un borrón con poco o ningún detalle.

Para el empleo de altas velocidades, es fundamental asegurarse de que las condiciones de luz son óptimas, ya que si no es así, la cámara necesitaría de diafragmas muy abiertos que, en el mejor de los casos, restringirían demasiado la profundidad de campo hasta el punto de no quedar enfocado el objeto en su totalidad, y en el peor, y si la mayor abertura no es suficiente, una imagen oscura.

Además, si el objeto se acerca o aleja del fotógrafo, aquél quedaría casi con toda seguridad desenfocado al contar con una profundidad de campo mínima.

Una buena costumbre para asegurarnos de que en cada imagen la abertura es adecuada consiste en dejar fijada la velocidad en una que sepamos que congelará el objeto, variando nosotros mismos la abertura del diafragma.

Aun siendo las más impopulares entre los aficionados que empiezan con la fotografía, las velocidades lentas son las que consiguen más efectos creativos. Sin embargo, para ello resulta fundamental añadir a nuestro equipo un complemento: el trípode. La gama de trípodes es tremendamente amplia. Actualmente, todos los del mercado son de una calidad aceptable, pero resulta muy recomendable optar por uno ligero y de dimensiones no demasiado grandes. Si para nosotros es un «engorro» este instrumento, podemos adquirir un trípode «de bolsillo». Éstos se venden en tiendas especializadas en fotografía y resultan realmente económicos, ligeros y con patas flexibles para adaptarse a terrenos irregulares. El único inconveniente es que suelen necesitar un soporte elevado donde apoyarse y no son lo suficientemente estables para experimentos tales como el barrido.

El trípode evita los temblores provocados por el propio fotógrafo cuando utiliza velocidades bajas.

Las velocidades lentas nos permiten captar las estelas, es decir, el recorrido hecho por el objeto en su movimiento. La estela es tremendamente expresiva cuando queremos plasmar el movimiento de un objeto en una imagen fija. Si nos conformamos con congelar el movimiento con una velocidad elevada, es fácil caer en la típica fotografía en la que la figura parece quieta e irreal, verdaderamente «congelada», perdiendo así la espontaneidad del momento.

En estos casos podemos obrar de dos formas. La primera es aquella en la que no nos interesa el objeto que se mueve sino sólo su movimiento. Por ejemplo, una ciudad nocturna con toda una estela de tráfico. En este caso, no nos interesan tanto los coches como su movimiento representado por la estela de luces.

PUNTOS CLAVE

▸ La velocidad es una variable que interactúa con la abertura y la sensibilidad. Las velocidades altas requieren una abertura y sensibilidad mayores.

▸ El movimiento congelado se obtiene con velocidades de obturación elevadas.

▸ Las velocidades lentas captan las estelas, es decir, el recorrido hecho por el movimiento de un objeto.

▸ El trípode evita los temblores en la toma de imágenes a baja velocidad.

▸ Cuidado con el enfoque: no es lo mismo una fotografía con movimiento que borrosa.

▸ Encuadrar objetos estáticos establece una referencia para los que se mueven.

▸ El barrido consiste en seguir el trayecto de un objeto en movimiento con una velocidad de obturación lenta. Con ello se consigue que el objeto aparezca estático y el fondo, sin embargo, quede reducido a estelas.

■ Más difícil todavía. A baja velocidad, un autorretrato donde el fotógrafo permanece quieto requiere algo de pulso. El resultado, sin embargo, vale la pena.

■ Congelar la imagen no es difícil. Sólo requiere de suficiente luz ambiental que permita trabajar con velocidades superiores a 1/500, cuidando la profundidad de campo.

Aunque parezca innecesario, es importante que la imagen esté bien enfocada, y que sea precisamente el elemento estático el que quede perfectamente nítido (en el ejemplo anterior, un semáforo, un edificio o una señal de tráfico). De no ser así, conseguiremos un borrón ininteligible.

La segunda opción es captar un objeto que en alguna de sus partes o elementos posee movimiento, pero que al mismo tiempo permanece quieto. Estamos ante ejemplos como el agua que cae desde un grifo (el agua tiene movimiento, pero el grifo permanece quieto), o un jugador de baloncesto que mientras piensa la jugada parado en medio de la cancha sigue botando el balón (su brazo y la pelota se mueven mucho más que el resto de su cuerpo).

Cuando nos encontramos con estos casos, necesitamos un punto fijo de referencia, que permanezca inmóvil: el fondo, otro objeto secundario o incluso la parte del objeto que permanece quieta. Del mismo modo, nuestra cámara debe encontrarse apoyada en un punto fijo, es decir, el trípode.

■ Las estelas producidas por los coches, la luz de las farolas y los edificios envuelven de magia la ciudad por la noche. Si la exposición se prolonga demasiado, la imagen sufre una contaminación lumínica que aclara demasiado las zonas oscuras, mientras que las luces queman la toma.

Por último, para evitar el ligero temblor provocado al pulsar el botón, resulta muy útil utilizar un disparador a distancia o incluso el temporizador.

El disparador a distancia nos proporciona la ventaja de poder disparar en el momento en el que queramos, mientras que utilizando el temporizador un objeto no deseado puede cruzarse en el encuadre en el tiempo transcurrido entre el momento en el que pulsamos el botón y en el que la imagen es captada por la cámara.

Otro efecto creativo que podemos conseguir empleando velocidades lentas es el barrido. Como su nombre indica se trata de «barrer» una porción de realidad mayor que el ángulo captado por el objetivo empleado por la cámara. Ésta es una opción intermedia entre el objeto congelado y la estela de movimiento que el objeto produce; se trata de dar sensación de movimiento pero captando, al mismo tiempo, los detalles del objeto.

Este caso requiere un poco más de ensayo que en los anteriores y alguna que otra imagen que deberemos borrar por resultar insatisfactoria. En realidad, el barrido no es más que seguir con la cámara el objeto que se mueve ante nosotros dejando el obturador abierto. También es recomendable el uso de un trípode para evitar los temblores. Lo mejor para dominar esta técnica es practicarla mucho, sobre todo con una cámara digital, donde el lag (retardo en el disparo) es amplio y se hace necesario conocer la reacción de nuestra máquina para saber con certeza cuándo debemos apretar el botón.

■ El barrido de un objeto en movimiento requiere varias tomas para conseguir un resultado satisfactorio. El secreto es estar en la perpendicular exacta del objeto.

Para conseguir un barrido correcto, el objeto debe pasar perpendicularmente a nuestra mirada, de lo contrario, nos encontraríamos con problemas de tamaño y la imagen posiblemente se falsearía.

Cuando la figura esté acercándose al punto donde vamos a disparar, empezamos a girar la cámara sin perder de vista el objeto a través del visor. Cuando éste llegue al punto deseado, disparamos y seguimos acompañando con la cámara su movimiento; la baja velocidad hará el resto. Es fundamen-

■ Con el trípode y el zoom, el efecto de cambiar rápidamente de distancia focal a baja velocidad puede dar como resultado imágenes muy curiosas.

tal realizar este seguimiento un par de segundos después de cerrarse el obturador para tener la certeza de que hemos atrapado todo el movimiento de la figura. Con esto, lo que habremos conseguido es un objeto inmóvil con el resto de la imagen movida.

⊞ El color

No todas las fuentes lumínicas despiden la misma luz. Cada una produce diferentes matices de color en los objetos, independientemente de si se utilizan filtros o no.

Únicamente la luz de flash resulta idéntica a la solar; por lo demás, nos podemos encontrar con multitud de ambientes bañados por distintas luces que cambian la temperatura del color. Es decir, aportan un matiz más frío (azulado o verdoso) o más cálido (rojizo, amarillento, rosado o anaranjado) a los ambientes.

Con la llegada de las cámaras digitales, el usuario tiene mayor control sobre el color. Las nuevas máquinas pueden trabajar con aberturas y velocidades que permiten captar un ambiente interior sin necesidad de flash. Esto trae consigo la necesidad de desenvolverse bajo distintas fuentes de luz tanto en intensidad como en temperatura.

■ Colores básicos, brillo y formas construyen un encuadre que roza el grafismo más puro.

■ La presencia de los tres colores primarios es en sí misma una fiesta para la vista. Es más, cuando una imagen está saturada de dos de estos colores, el ojo echa de menos el tercero. Conocer los colores primarios, secundarios y complementarios crea una base fuerte para componer cromáticamente una imagen.

■ El cálido rojo y el frío azul junto al blanco componen una imagen compensada a la vez que intensa.

Las cámaras son incapaces de distinguir colores, por lo que deben «construir» las diversas tonalidades a partir del blanco. Así, el fotógrafo tiene que «enseñar» a la máquina qué es blanco en el entorno donde vamos a tomar la imagen. A esto se denomina determinar el balance de los blancos, y consiste en enfocar una superficie blanca (generalmente un folio) que ocupe todo el encuadre, con la iluminación existente en la escena. En ese momento deberemos pulsar el botón del balance de blancos (su ubicación varía de una cámara a otra) y las lecturas que se tomen a continuación bajo esta luz serán correctas.

Si nuestra máquina no dispone de la opción mencionada, siempre podremos corregir los efectos adversos con un programa de edición de imágenes (lo que más adelante veremos en el apartado «El laboratorio digital»).

Por otra parte, podemos trabajar con distintos ajustes de luz prefijados para, aun no captando la luz correcta, conseguir efectos interesantes. Un ajuste para tungsteno (bombilla) en un ambiente con luz diurna aumenta la dominancia del azul, aportando una sensación de frialdad a la escena. En un paisaje nevado, este efecto puede potenciar la sensación de espacio invernal y desolado.

Un balance de blancos de luz diurna en un interior con iluminación de tungsteno aumentará los tonos rojizos y amarillentos, y con ello la calidez del entorno. Este efecto es muy frecuente entre los profesionales para crear ambientes románticos.

Con estos ejemplos vemos que no siempre un balance de la luz «realista» es el más adecuado. Las diferentes combinaciones entre una fuente de luz y un balance que no se corresponda con la misma pueden originar tonalidades azuladas, verdosas, anaranjadas, rosadas...; y todo sin utilizar un solo filtro.

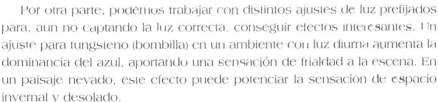

■ Los colores complementarios (rojo y verde, en este caso), provocan una sensación de armonía que compensa cromáticamente la imagen. Este efecto era muy utilizado por los pintores vanguardistas.

En cuanto a la saturación del color, es decir, su intensidad, depende de la exposición. Una imagen sobreexpuesta presentará colores desvaídos.

Las luces indirectas tales como el flash rebotado o un día nublado consiguen colores intensos aunque menos luminosos. Resulta sencillo aumentar la saturación empleando programas de retoque fotográfico, siempre y cuando la fotografía esté correcta o ligeramente subexpuesta.

■ Como las abejas, un fotógrafo se ve atraído por los colores intensos que provocan sensaciones visuales muy placenteras. Porque el color a los ojos es como la música a los oídos.

Si ha llovido y sale tímidamente el sol, no lo dudemos. Nunca encontraremos una atmósfera más limpia y unos colores tan saturados y contrastados como en este momento.

Por otra parte, también podemos «componer» con valores cromáticos, es decir, aprovechar los colores de una escena de tal modo que unos tonos compensen y complementen a otros. Estamos, pues, hablando de la teoría de los complementarios. Esta forma de combinar el color es fácil de entender y de recordar. Partamos del hecho de que hay tres colores básicos: el rojo, el amarillo y el azul. Mezclando dos de estos colores conseguimos tres colores secundarios: naranja (rojo + amarillo), violeta (rojo + azul) y verde (amarillo + azul). Un color básico se complementa con el secundario que resulta de mezclar los dos colores básicos restantes. Así, el complementario del rojo es el verde, el del amarillo es el violeta, y el del azul, el naranja. Esto no excluye la presencia de otros colores.

PUNTOS CLAVE

▶ La cámara no distingue los colores, sino que construye las tonalidades a partir del blanco. El fotógrafo debe mostrar el balance de blancos para que la máquina haga el resto.

▶ La saturación o intensidad de los colores depende de la exposición a la luz sobre el CCD.

▶ La composición cromática juega con colores primarios, secundarios y complementarios, fríos y cálidos.

▶ Con el programa de edición de imágenes podemos variar las tonalidades predominantes de una toma.

Observemos que las imágenes que cromáticamente llaman más nuestra atención incluyen en su abanico cromático una combinación de primarios y secundarios. Pero también funciona muy bien la aparición de los tres primarios o los tres secundarios.

Los colores pueden calificarse también en fríos (azules, verdes y violetas azulados) y cálidos (rojos, amarillos, naranjas y violetas rojizos). En una imagen en la que predominen los tonos fríos cualquier elemento cálido llamará nuestra atención. No así al contrario, ya que psicológicamente los colores cálidos captan más la atención del observador.

■ Aunque se trata de una imagen llamativa, resulta un tanto fría.

Círculo cromático   Armonía entre primarios y secundarios   Escala tonos fríos   Escala tonos cálidos

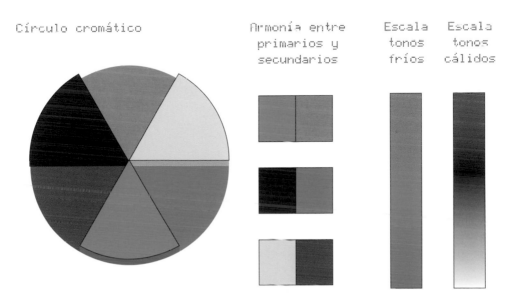

■ En el círculo cromático tenemos los tres colores básicos (rojo, amarillo y azul), entre ellos el resultado de mezclarlos (naranja, verde y violeta). Los colores complementarios se encuentran enfrente unos de otros (rojo y verde, amarillo y violeta, azul y naranja). Por otro lado, los colores también pueden agruparse en tonos fríos y cálidos.

⊞ El claroscuro

Los fotógrafos que han empezado con el blanco y negro saben muy bien la importancia del contraste (relación de zonas claras y oscuras) en la imagen.

Como ya hemos visto en los apartados anteriores, la luz para un fotógrafo es lo que las palabras para un escritor: con ella se «construye» la obra. La luz ilumina al objeto, delimitando sus contornos, sus colores, sus texturas, en definitiva, su naturaleza. Lo que no podemos olvidar es que las sombras también son generadas por la luz. Cuando ésta incide sobre una figura, queda automáticamente proyectada su silueta con mayor o menor intensidad.

■ El claroscuro construye la imagen con luz y volumen. La diferencia entre una fotografía plana y otra con sensación de relieve está, sin lugar a dudas, en este factor lumínico.

En la fotografía, las sombras son más oscuras que en la «realidad». El ojo humano puede captar muchos más tonos de grises que la cámara, por lo que en las imágenes se recogen las sombras de una forma bastante más marcada. Este efecto, en la mayoría de los casos, no es nada estético.

A pesar de todo, aunque podría parecer que las sombras deberían eliminarse o reducirse, es importante advertir que en ciertas fotografías un contraste fuerte aporta vivacidad al objeto, el cual se nos muestra con detalles acentuados y con un toque de tridimensionalidad.

Por otra parte, una iluminación uniforme aplana el conjunto reduciendo la perspectiva considerablemente, dejando una imagen sin fuerza alguna.

■ Encontrar el punto justo de claroscuro en un retrato es todo un desafío y una satisfacción cuando se consigue. La relación entre luces y sombras debe aportar cierta intención.

Llegados a este punto podemos calificar a las luces de duras o difusas, dependiendo de su intensidad y del efecto que producen sobre el conjunto final de la fotografía.

La luz dura es la que se concentra en el objeto proyectando sombras paralelas. Se producen, para bien o para mal, efectos de dureza, vigor y voluptuosidad. La sombra proyectada por una luz dura está bien definida y es muy oscura. Con ella, los detalles quedan mucho más visibles. En ocasiones, esto será conveniente para nuestros propósitos como fotógrafos, otras no.

La luz difusa crea una iluminación suave, principalmente porque se apoya en otras fuentes lumínicas secundarias más tenues. El área que queda bien visible gracias a esta iluminación es mayor que con la dura. La luz suave tiende a «disimular» líneas y defectos, por lo que es un recurso muy apropiado para retratos en primeros planos. Aunque no debemos olvidar que perdemos en cuanto a profundidad y perspectiva. Generalmente, las principales fuentes de luz dura son el sol, en días claros, y el flash incorporado a la cámara. En los casos en los que queramos suavizar la iluminación debemos utilizar fuentes lumínicas secundarias colocadas en distintos ángulos con respecto a la principal, intentando iluminar esas zonas que quedarían en sombras. Si estamos al aire libre con el sol cayendo a plomo (justo sobre el objeto), compensaremos utilizando el flash incorporado con la opción siempre activo, para así iluminar las sombras que se proyectan bajo las formas. Si por el contrario nos encontramos en un espacio interior, o en la oscuridad, colocar otras fuentes de iluminación laterales nos solucionará el problema.

PUNTOS CLAVE

▶ El claroscuro es el contraste o relación entre zonas claras y oscuras sobre los objetos o zonas del encuadre.

▶ Los fuertes contrastes aportan voluptuosidad, vigor y resaltan los detalles. Están producidos por luces duras que proyectan sobre el objeto sombras paralelas.

▶ La iluminación homogénea suaviza los contornos pero aplana la imagen. La luz difusa es tenue y tiende a disimular los defectos. Suele requerir de fuentes secundarias.

▶ Para suavizar los efectos de la luz debemos emplear fuentes lumínicas secundarias a la principal.

⊞ El flash y qué hacer cuando no se puede usar

El flash es un accesorio fotográfico que emite un breve destello complementario a la iluminación ambiental y sincronizado con el obturador para que se dispare en el momento en el que éste se encuentra abierto. La luz de flash es completamente blanca y, en el conjunto de luces artificiales, la más semejante a la solar.

Los flash más comunes son los integrados y los independientes. Los integrados se encuentran incorporados al cuerpo de la cámara. Por tanto, no es posible cambiar su orientación o su ángulo con respecto al objeto y se alimentan de la batería de la máquina.

La gama de flash independientes es muy amplia. Su potencia puede variar, así como su equipamiento.

En algunos casos, la fuerza del destello puede ser controlada. Los profesionales o semiprofesionales suelen incorporar una célula fotosensible que hace disparar el flash a través del destello de otro, con lo que se consigue una iluminación más variada, uniforme o simplemente creativa.

■ Utilizar el flash de relleno a pesar de que las condiciones lumínicas sean suficientes suaviza las sombras y crea una imagen con tonos más homogéneos.

Un flash independiente es, sin lugar a dudas, una buena adquisición si queremos explorar la creatividad controlando la luz. Y, como ya sabemos, la luz lo es todo en fotografía.

Ante todo, debemos recordar que aunque potente, el destello del flash tiene un alcance muy limitado; comúnmente, entre 3 y 6 metros. Por tanto, si la escena se encuentra más alejada, este dispositivo será del todo inútil.

Por otra parte, es fundamental tener en cuenta las sombras resultantes de la proyección de una luz tan intensa. Este efecto se hace mucho más visible si hay un fondo cercano al objeto. Los flash incorporados son los que más dificultades, en este sentido, provocan, debido precisamente a su falta de flexibilidad.

Otro aspecto a tener en cuenta es la reflexión de la luz. No es lo mismo que un objeto refleje la luz hacia el objetivo de la cámara, que refleje el propio destello.

Una superficie mate refleja la luz; otra brillante, el destello en sí mismo, lo que suele destrozar toda la imagen. Es en estos casos en los que se echa de menos un flash independiente para controlar el ángulo y el reflejo.

Antes de empezar a hacer fotografías con flash, y si éste incluye esta opción, debemos tener en cuenta el ISO que vamos a emplear y adaptar la

■ Con el flash de relleno eliminamos las incómodas sombras bajo sombreros o gafas, que quedan eliminadas además de suavizar los contrastes.

■ Cuando el objeto está fuera del alcance del flash, lo mejor es utilizar un punto de apoyo, emplear una velocidad lenta y aprovechar la luz natural.

■ Si el fondo de la toma nos interesa por su valor en el conjunto, es importante tener en cuenta que el efecto del flash va disminuyendo paulatinamente. Sin embargo, si este fondo no se encuentra muy alejado, es posible captarlo al mismo tiempo que se le desplaza a un segundo término en importancia, resaltando el objeto principal.

potencia del destello al mismo. Para ello debemos seguir la tabla de equivalencias que incorpore nuestro flash.

El flash no sólo se utiliza para iluminar una escena con escasez lumínica. En situaciones en las que el exceso de luz puede producir fuertes contrastes, el destello se emplea como «relleno» o suavizador de sombras.

En el caso de un contraluz, la creatividad se dispara, ya que mientras el objeto oculte totalmente la fuente lumínica principal, el flash consigue dejar a la vista lo que de otra manera sería una silueta oscura, que ahora aparecerá enriquecida con un halo de luz que la bordea.

Un flash con célula fotosensible es tremendamente útil cuando el fotógrafo debe trabajar alejado de la escena y, previamente, ha colocado el flash cerca del objeto.

De este modo, el mismo flash incorporado de la cámara puede hacer saltar el flash principal. Sin embargo, nos podemos encontrar con problemas en el caso de que haya otros fotógrafos, ya que con sus destellos también se dispararía nuestra fuente de luz principal.

Pero, ¿qué ocurre en esos casos en los que no está permitido el uso del flash o simplemente su destello no alcanza la escena? Nos referimos a fotografías de teatros, conciertos o conferencias.

En dichos momentos, lo primero es saber elegir la medición más conveniente. Una medición ponderada al centro o puntual puede ser la mejor opción si queremos captar un detalle del conjunto de la escena.

Si, por el contrario, queremos hacer una fotografía de conjunto, la medición matricial será la más adecuada si la escena tiene una iluminación uniforme. De no ser así, le medición puntual es la elección más acertada siempre y cuando midamos sobre el área principal del encuadre.

Por otra parte, al trabajar necesariamente con velocidades bajas, nos encontraremos con otro obstáculo: temblores y movimiento.

El riesgo a tomar imágenes movidas desaparece si nos valemos de un trípode o nos apoyamos en cualquier superficie que nos sirva de soporte estable.

En cuanto al movimiento de los objetos que encuadramos, no debemos despreciar el valor creativo y dinámico del mismo.

De todas formas, podemos evitar un movimiento indeseado si disparamos en momentos de pausas o silencios. En el caso de los conciertos, donde la quietud brilla por su ausencia, el mejor consejo es realizar encuadres cerrados.

En última instancia, si la imagen queda algo subexpuesta, en el laboratorio digital nos encargaremos de mejorarla.

■ Las velocidades lentas pueden crear efectos interesantes en fotografías con movimiento donde el flash es totalmente inútil.

PUNTOS CLAVE

▶ El flash emite un breve destello de luz blanca e intensa muy semejante a la solar.

▶ Puede estar integrado al cuerpo de la cámara o ser independiente.

▶ El flash tiene un alcance limitado a un máximo de 6 ó 7 metros, dependiendo de la potencia del mismo.

▶ Con el flash independiente se controlan mejor los reflejos y las sombras proyectadas, pues el ángulo con respecto al objeto puede variarse.

▶ El flash de relleno suaviza los contrastes en escenas demasiado iluminadas. También contrarrestan los efectos de un contraluz.

⊞ El modo B

El modo B es difícil de calificar, pero podríamos definirlo tanto como un modo de exposición como de velocidad de obturación bastante peculiar.

Aunque no es una herramienta dócil, el modo B puede darnos buenos resultados si logramos hacernos con él.

Lo primero es encontrar, si es que la incorpora, esta opción en nuestra cámara. Algunas la incluyen en el dial principal, otras junto al modo de prioridad a la velocidad o en el menú avanzado.

■ Las propias formas de los fuegos artificiales puede indicarnos el tiempo que debemos mantener abierto el obturador, es decir, desde que aparecen hasta que completan su trayectoria en el cielo nocturno.

En el momento en el que activamos esta opción, el fotómetro deja de reflejar lecturas. Esto resulta del todo lógico si tenemos en cuenta que el modo B consiste en dejar abierto el obturador todo el tiempo que el fotógrafo considera oportuno, por lo que la cámara no puede saber cuánto tiempo va a permanecer abierto, desconociendo, igualmente, la abertura necesaria para el diafragma.

El trípode es el compañero inexcusable del modo B. También es aconsejable añadir un disparador a larga distancia o un temporizador para no transmitir el movimiento del pulso a la máquina.

Este modo nos permite realizar exposiciones mucho más largas que las prefijadas por la cámara. Esto, que en principio puede parecer difícil de controlar, juega con una baza a nuestro favor: no es necesaria una gran precisión en la exposición. Existe un margen de tolerancia que con algo de práctica podremos determinar.

La utilidad del modo B es poder captar con luz ambiente, aunque ésta sea escasa, objetos totalmente estáticos, pero también jugar con las estelas producidas por el movimiento de objetos con luz propia: vehículos, fuegos artificiales, faros junto al mar, etc.

PUNTOS CLAVE

▶ El modo B mantiene abierto el obturador todo el tiempo que se mantenga pulsado el botón de disparo.

▶ Capta la luz ambiente por escasa que sea, los objetos estáticos y las estelas de luces en movimiento.

▶ Si el obturador permanece abierto demasiado tiempo, la toma puede contaminarse por exceso de luz.

▶ El destello del flash en un momento de la exposición congela el movimiento de objetos cercanos.

Resulta apasionante fotografiar una ciudad por la noche captando el movimiento acelerado de sus coches, o un cielo nocturno bañado por palmeras de luz y color.

Para controlar esta técnica, resulta imprescindible hacer varias pruebas con diferentes diafragmas debido a la contaminación lumínica.

Denominamos contaminación lumínica a la sobrexposición general de la imagen a causa de luces no muy intensas pero que queman el encuadre debido a la abertura excesiva del diafragma o a la exposición demasiado prolongada. Esta contaminación destruye todo el valor creativo de la fotografía.

Si queremos recoger tanto el movimiento de un objeto con luz propia, como otro relativamente estático sin iluminación, lo ideal es acompañar la exposición con un único destello de flash que congele la figura y, al mismo tiempo, la haga visible. Es preferible que el destello aparezca al final de la exposición, lo que comúnmente se conoce como segunda cortinilla, pero si nuestra cámara carece de esta opción tendremos que hacerlo saltar al pricipio.

El problema más habitual a la hora de utilizar esta herramienta es que el fotógrafo pretenda recoger el movimiento de la luz de principio a fin. Es preferible conformarse con algo de su recorrido si no queremos saturar la imagen con manchas de luz sin sentido. Esto ocurre cuando se mantiene abierto el obturador demasiado tiempo.

Otra dificultad añadida es la posibilidad de que el objeto con luz propia se mueva demasiado deprisa, permaneciendo así tan poco tiempo en nuestro encuadre que no quede registrado. En este caso obtendríamos únicamente la imagen del fondo.

En cualquier caso, el modo B abre un mundo de posibilidades creativas que, cuanto menos, proporcionan imágenes abstractas y originales, cuando no, espectaculares.

■ La medición puntual es esencial en este caso, si queremos que las vidrieras de colores no queden reducidas a manchas blancas.

■ El paisaje nevado es un reto en cuanto a luz, ya que las superficies blancas y húmedas hacen de espejo de la fuente lumínica. Un contraluz, midiendo sobre el foco, provoca contrastes interesantes.

El contraluz

Una de las primeras costumbres que suele adquirir un fotógrafo es no hacer fotografías contra una fuente lumínica intensa, es decir, a contraluz.

Esto, aunque en la mayoría de los casos es una buena norma, tiene sus excepciones. En ocasiones, una imagen a contraluz puede resultar atractiva, original y con fuerza.

■ Compositivamente, aplicar la regla de los tercios sobre el reflejo de la fuente lumínica funciona mucho mejor.

Las instantáneas captadas frente a una fuente lumínica potente consiguen que los objetos aparezcan oscurecidos, adivinándose sólo a través de sus siluetas, que quedan bien delimitadas.

El resultado es una imagen con los colores anulados, con zonas muy claras y otras muy oscuras.

La medición de la luz en este tipo de fotografías puede realizarse de dos formas: compensando la escena o midiendo en el punto de luz.

En el primer caso, el área más iluminada quedará quemada y sin

■ Compensar la luz y la oscuridad consigue que en un contraluz las zonas iluminadas queden quemadas, ganando en detalles las áreas oscuras.

■ Si es una silueta lo que queremos captar, habrá que medir la luz sobre la zona clara.

detalles, mientras que el resto permanecerá oscuro aunque con algunas formas definidas.

Si, por el contrario, medimos en la fuente lumínica, la luz ambiental será más natural y las zonas oscuras se verán reducidas a meras manchas negras. Cuanto más rápida sea la exposición, más marcado será el contraluz.

Podemos encontrarnos en situaciones en las que la fuente de luz aparece cubierta por el objeto, y otras en las que deslumbra directamente. En este último caso, la zona con mayor intensidad lumínica no suele funcionar, compositivamente hablando, en el centro, por lo que debe aplicarse la regla de los tercios.

Debemos tener presente que este tipo de imágenes capta adecuadamente ambientes y situaciones, pero nunca detalles.

Si pretendemos conseguir detalles de un objeto en primer término en una fotografía a contraluz, debemos utilizar el flash como relleno, es decir, aplicando un destello, utilizando apertura y diafragma adecuados para el mismo.

PUNTOS CLAVE

▶ Si la medición de la luz se realiza compensando la escena, las zonas claras aparecerán quemadas mientras que las oscuras conservarán algunos detalles.

▶ La medición puntual sobre el foco lumínico consigue una luz más natural pero los detalles se pierden totalmente en las áreas oscuras.

▶ Los reflejos o las fuentes de luz deben ir encuadradas en zonas aureas.

▶ Utilizando el flash como relleno, podremos lograr que un objeto en primer término aparezca bien definido.

PREGUNTAS Y RESPUESTAS

1. ¿Cómo se debe medir la luz a la hora de realizar un retrato para que quede perfecto?

R. La solución más acertada es una medición central en dos puntos de la escena: la piel y la ropa. Si utilizamos una apertura intermedia entre estas dos mediciones, la exposición del rostro será la adecuada y el vestido quedará recogido al detalle.

2. ¿Qué se puede hacer cuando una cámara digital cuenta únicamente con medición ponderada al centro, y la zona que queremos medir no se encuentra en él y se pretende utilizar el modo automático de medición?

R. Mantener pulsado a medias el botón de disparo memoriza, además del enfoque, la lectura de la luz, permitiendo reencuadrar. Para realizar la fotografía bastará con terminar de pulsar el botón de disparo. Sin embargo, si levantásemos el dedo, la medición se perdería.

3. ¿Cuál es la mejor solución para reducir el fondo de un retrato a oscuridad?

R. Una combinación adecuada de un flash a poca potencia y un ISO bajo que obligue a cerrar el diafragma consigue oscurecer el fondo.

5. ¿Por qué las fotografías en la nieve tienen ese tono tan marcadamente azulado?

R. A pesar de que los paisajes nevados no tienen una reflectancia media, al tomar una imagen de una escena con predominio del blanco, la

1. Una compensación entre piel y ropa es lo más recomendable a la hora de medir la luz para un retrato.

4. Una iluminación intensa apoyada por un flash de relleno que incida indirecta y suavemente sobre las zonas más oscuras de la toma, obliga a cerrar el diafragma, reduciendo un fondo inadecuado a oscuridad.

cámara «piensa» que la escena tiene un 18 % de reflectancia y ajusta la exposición para convertir el blanco en gris. La solución se encuentra en la sobreexposición de medio a un punto.

6. ¿Cuál es el método más acertado de medir la luz en el caso de un contraluz?

R. Para determinar la exposición para escenas con luz de fondo, es conveniente tomar una lectura en el área más iluminada y en el objeto principal que se encuentra a contraluz, preferentemente con medición puntual. A continuación se obtiene un promedio entre las dos lecturas. Del mismo modo, es aconsejable realizar una toma con un intervalo por encima y otro por debajo a la exposición inicial.

7. ¿Cuál es la exposición adecuada para tomar una fotografía de la luna captando sus detalles?

R. Es habitual creer que la luna, al encontrarse en un cielo nocturno necesita mucha exposición, olvidando que refleja directamente la luz del Sol, por lo que su luminosidad es muy intensa. Para poder tomarla sin que se pierdan los detalles de su superficie, la exposición adecuada resulta de la combinación de velocidad 1/125 con abertura f-16 o incluso f-22, y sensibilidad ISO 100. El trípode es esencial ya que la distancia a la que se encuentra el objeto multiplica el riesgo de temblores del pulso.

9. ¿Cuál es el motivo por el que a veces los fotógrafos profesionales apuntan hacia la palma de su propia mano?

R. Cuando queremos sacar fielmente la textura y detalles de un rostro alejado, medir la luz sobre la palma de la mano nos proporciona la fotometría adecuada para la piel.

5. Las superficies extremadamente blancas e iluminadas engañan al fotómetro. La sobreexposición moderada elimina el predominio de azules.

6. Un contraluz puede captarse de un modo muy real si se tiene siempre en cuenta la medición sobre el foco de luz, aunque éste no aparezca directamente.

7. El error más común de las fotografías lunares es la sobreexposición. El cielo es negro pero el satélite refleja directamente la luz solar.

EL ENFOQUE

Las cámaras deben realizar ciertos ajustes en algunas de sus partes para ver los objetos con nitidez. En esto consiste el enfoque. Nuestros ojos también enfocan, de hecho, lo hacen continua y rápidamente. En fotografía este mecanismo es algo más lento. Para que la cámara enfoque, debemos indicarle a qué distancia está el objeto que debe aparecer nítido. Los objetivos incorporan un aro llamado telémetro, que al girarse va enfocando o desenfocando progresivamente las figuras.

Por regla general, este aro presenta una serie de cifras que indican distancias en metros (m) y pies (f), desde varios milímetros (en el caso de objetivos que incorporen macro) hasta el infinito. Mientras giramos, las lentes del objetivo van modificando su posición para poder enfocar objetos a distintas distancias.

Si miramos a través del visor mientras giramos el telémetro, no sólo veremos claramente que el objeto se va enfocando o desenfocando, sino que además dispondremos de dos herramientas para facilitar esta tarea.

■ El enfoque automático puede crear problemas cuando disparamos a través de un cristal, sobre todo si en él hay un tono o un reflejo destacado que se interponga entre el objeto y el fotógrafo. En tal caso, la cámara enfocará el cristal y no lo que hay tras él.

En el área de enfoque del visor, existe un círculo dividido en dos por una línea. Si colocamos dicha línea en el perfil del objeto a enfocar y dicho perfil queda «cortado», discontinuo, la figura no está enfocada. Además, alrededor de este círculo, hay una malla de contraste punteada que varía la tonalidad del objeto si éste no está dentro del foco.

Los modos de enfoques más comunes son el manual y el automático o autofocus. El manual requiere que seamos nosotros mismos los que movamos el telémetro. El autofocus utiliza la diferencia de contrastes entre objetos para enfocar automáticamente, moviendo por sí solo el aro de enfoque.

Aunque contemos con profundidades de campo elevadas, es imprescindible afinar el enfoque si pretendemos que nuestras fotografías sean, cuanto menos, correctas.

Por su comodidad y rapidez la mayoría de los fotógrafos utilizan el enfoque automático. Sin embargo, este sistema, además de consumir bastante batería, es, en ocasiones, impreciso. No olvidemos que la necesidad de contar con un contraste marcado entre los objetos, para averiguar la dis-

■ El enfoque manual solucionará una situación en la que un objeto en primer término oculta parcialmente el que realmente nos interesa captar con nitidez. En este caso, y si la profundidad de campo es reducida, el plano más próximo al fotógrafo quedará reducido a unas manchas desenfocadas.

tancia y así enfocar, puede convertirse en un grave obstáculo en condiciones de luz adversas o cuando los tonos entre la figura principal y el fondo son parecidos. Algunas cámaras, las más profesionales, incorporan un dispositivo que activa una luz roja intermitente que ilumina el objeto, si este no está muy lejos, posibilitando el enfoque.

Para utilizar el autofocus, debemos presionar el botón de disparo hasta la mitad mientras encuadramos en el centro lo que queremos enfocar. Inmediatamente, las lentes se colocan y permanecen inmóviles hasta que terminamos de presionar. Esto nos permite reencuadrar la escena. Si el mecanismo no actuara así, nos veríamos obligados a colocar siempre en el centro del encuadre el objeto principal.

El enfoque manual es lento y difícil de ajustar cuando se carece de práctica, pero al cabo de varios carretes el fotógrafo puede ser, con mucho, más rápido y preciso que el autofocus de su cámara. Además, resulta tre-

■ El autofocus puede ser muy poco preciso a la hora de enfocar un objeto con tonos homogéneos con los del fondo u otros planos. En esta situación, la cámara es incapaz de determinar a qué distancia se encuentra la figura que debe enfocar. Una vez más, el enfoque manual puede ser la solución más acertada.

■ Otra situación complicada se da cuando lo que queremos enfocar está rodeado de objetos más próximos al objetivo. La solución: enfocar nosotros mismos.

mendamente útil en los casos en los que el enfoque automático es ineficaz: objetos muy pequeños; sobre fondos que ofrecen poco contraste; con poca luz ambiental; o en situaciones en las que la figura se encuentra rodeada de una red tupida de objetos más cercanos al objetivo de la cámara, y que pueden confundir al autofocus.

Para cualquier modo de enfoque, el peor enemigo es el movimiento. La mejor opción en estos casos es utilizar el modo manual, tomar un punto de referencia (normalmente el suelo u otro objeto estático) y disparar cuando la figura llegue a dicho punto.

Por último, la mayoría de las máquinas enfocan variando la posición de las lentes internas del objetivo. Sin embargo, algunas hacen girar también la lente externa. En tales casos, si vamos a utilizar filtros no homogéneos como los polarizadores o los degradados, deberemos colocarlos después de enfocar.

PREGUNTAS Y RESPUESTAS

1. ¿Por qué a veces el aro de enfoque empieza a girar en modo autofocus sin detenerse y sin completar el enfoque?

R. Este movimiento es propio del enfoque automático en los casos en los que no consigue captar la diferencia de densidad de grises para determinar la distancia en la que se encuentra un objeto. La falta de luz o la homogeneidad cromática entre el primer plano y el fondo, son las razones más corrientes para que el autofocus falle. Algunas cámaras tienen incorporada una luz infrarroja que se dispara en condiciones lumínicas adversas, permitiendo el enfoque. Sin embargo, este dispositivo es del todo inútil cuando la figura se encuentra fuera de su área de acción. En estos casos, lo más recomendable es desactivar el autofocus y enfocar manualmente. Si por el contrario, el problema reside en que la imagen en ningún caso queda bien enfocada, es que existe un problema técnico que afecta al telémetro y que únicamente puede solventar el fabricante o un técnico especialista.

2. ¿Podemos enfocar tanto manual como automáticamente mirando por el visor?

R. Precisamente esta cuestión es la razón por la que los modelos réflex son los más precisos para controlar el enfoque. Si la cámara no es reflex, con el visor no podemos comprobar si el objeto está siendo enfocado adecuadamente, ya que no estamos mirando a través de las lentes. En estos casos es preferible observar la escena por el monitor LCD al enfocar y por el visor al disparar.

2. Si nuestra cámara no es réflex, no podemos fiarnos del visor a la hora de enfocar, tendremos que hacerlo a través del monitor LCD.

3. Una gran profundidad de campo no significa que todo el encuadre esté enfocado. La nitidez total se encuentra a una única distancia.

3. ¿Es necesario enfocar si contamos con una profundidad de campo total gracias a las condiciones lumínicas?

R. El hecho de que con una amplia profundidad de campo no se note tanto un leve desenfoque no quiere decir que un objeto concreto se encuentre bien enfocado. A pesar de contar con una gran profundidad de campo, el enfoque a partir del cual irá degradándose la nitidez debe determinarlo el fotógrafo, ya que, por leve y gradual que ésta sea, la pérdida de definición existe por amplia que sea la profundidad.

4. Si lo que queremos enfocar está demasiado alejado, es aconsejable utilizar un tele en primer lugar para después volver a la distancia focal deseada una vez obtenido el valor del telémetro.

4. ¿Cómo enfocar objetos lejanos si el propio fotógrafo no los distingue con claridad?

R. La solución a esta cuestión se encuentra en el telémetro. Utilizando un teleobjetivo podemos acercar el objeto hasta que esté a nuestro alcance visual, enfocarlo y observar la distancia exacta que marca el telémetro. No olvidemos que la cámara enfoca determinando la distancia a la que se encuentra el objeto. Únicamente tendremos que volver a la distancia focal deseada manteniendo el mismo valor que nos proporcionó el telémetro.

5. ¿Cómo se enfoca un objeto que no se encuentra en el centro de la escena utilizando el enfoque automático?

R. Enfocar un objeto fuera del centro del encuadre final utilizando el autofocus es prácticamente igual que realizarlo de forma manual. El único problema surge cuando nos preguntamos cómo memorizar el enfoque mientras reencuadramos la escena. La respuesta es sencilla: pulsar hasta la mitad el botón de disparo, para terminar de apretarlo en el momento en el que decidamos disparar.

5. Pulsando levemente el botón de disparo memorizamos el enfoque.

LA TEMÁTICA

Tener en cuenta qué se va a fotografiar es un buen punto de partida si pretendemos obtener resultados satisfactorios. Cada tema requiere de una técnica particular. La elección de objetivos, aberturas, velocidades, medición y composición dependen, en gran medida, del motivo que aparece en la imagen. En este capítulo realizaremos un recorrido por las principales temáticas, sus normas y excepciones; por todo lo que un fotógrafo necesita saber para que ninguna situación se le escape de las manos.

■ En encuadres amplios, el hecho de contar con algún elemento en primer término, enfocado o no, aumenta la perspectiva y sirve de punto de referencia al observador.

⊞ El paisaje

La fotografía paisajística es la más común entre los fotógrafos. Sin embargo, estamos ante una disciplina engañosa que, a pesar de parecer fácil, requiere poner en práctica algunos conocimientos técnicos.

Frecuentemente, las focales empleadas para el paisaje son cortas, para captar un mayor ángulo de visión. A pesar de ello, las focales largas pueden sernos muy útiles para sacar del encuadre zonas del entorno que no nos interesan o incluso nos afean el conjunto.

Dominar la luz es fundamental para este tipo de imágenes. Debemos tener en cuenta que en un amplio campo de visión es normal que convivan zonas con distintas condiciones lumínicas.

PUNTOS CLAVE

▶ Aunque las focales cortas son fundamentales en paisajismo, los teleobjetivos pueden sorprendernos. Un detalle de un entorno amplio puede ser más sugerente que la totalidad del mismo.

▶ La medición matricial es la idónea en los encuadres amplios si no hay zonas de alto contraste.

▶ Ante la duda, es preferible subexponer y retocar después con el programa de edición digital.

▶ Para evitar caer en encuadres monótonos, la composición áurea y los tercios resultan muy efectivos cuando se encuadran en horizontes y elementos en distintos planos.

▶ El todo no es más que la suma de las partes. Un detalle puede ser más expresivo que el conjunto.

■ Con los reflejos, colocar los horizontes en zona áurea es todo un acierto compositivo.

La mejor medición para estos casos es la matricial, ya que tiene en cuenta todo el conjunto, favoreciendo las zonas más homogéneas y mayoritarias. Sin embargo, en ocasiones en las que hay un fuerte contraste entre unas áreas y otras dentro del encuadre, es aconsejable optar por subexponer la fotografía. De este modo, podremos trabajarla en el ordenador; en el caso de una sobreexposición, la imagen no permite recuperar las zonas quemadas.

Por otro lado, un factor primordial para controlar esta disciplina es el punto de mira. En ocasiones, los propios accidentes naturales (ríos, piedras, montañas...) no ofrecen una composición atractiva. En tal caso, no lo saquemos todo; desplacemos nuestro punto de mira o bien utilicemos un teleobjetivo para sacar del encuadre el motivo que nos incomoda.

Un elemento que da mucho juego en la fotografía de paisaje es el agua que añade brillo, reflejos y frescura a la imagen. Sin embargo, para evitar monotonía en los encuadres protagonizados por una realidad reflejada y repetida en el espejo de un lago, un río o un simple charco, es aconsejable poner en práctica las zonas áureas, o incluso desechar total o parcialmente la realidad, captando únicamente su reflejo.

En resumen, el fotógrafo que se enfrenta al paisaje no debe dejarse influir por las dimensiones del mismo, sino que tiene que decidir qué parte de la realidad es más expresiva, original o conmovedora, encuadrarla y desechar el resto. Esto se consigue, fundamentalmente, con una costumbre bastante sencilla aunque muy poco practicada: observar antes de disparar.

■ Reducir el encuadre a lo que realmente nos interesa, en este caso la caída de agua, desemboca en una imagen llena de fuerza y sin elementos superfluos.

⊞ La naturaleza

Los paisajes, los jardines, los animales, las flores, el agua... son temas irresistibles para conseguir imágenes llamativas y llenas de frescura. Aunque suelen ser elementos relativamente dóciles, es importante considerar ciertas normas técnicas para no hacer de estos encuadres fotografías del montón.

Hacernos acompañar por el trípode puede ser muy acertado. La naturaleza despliega ante nosotros momentos perfectos para utilizar tanto el macro como el tele que, normalmente, funcionan mejor con un soporte estable.

■ La iluminación que proporciona el amanecer, el atardecer, los días nublados o después de la lluvia es muy apropiada para las fotos de la naturaleza, los contrastes son más suaves y el resultado es muy atmosférico.

La luz natural aporta creatividad y frescura a una instantánea. Una buena costumbre cuando un fotógrafo encuentra un tema que le agrada y la luz no resulta ser la apropiada, es tomar nota y volver en otro momento.

La luz suave del amanecer o atardecer, de un día nublado o tras la lluvia es ideal para tomar tonos saturados y contrastes equilibrados.

Si la ocasión no permite esperar, y la luz es intensa y brillante, podemos potenciar las formas y la voluminosidad de los objetos mediante una iluminación lateral.

La luz solar de los exteriores es muy seductora, sin embargo, es importante controlar los destellos de los

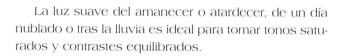

■ Las formas verticales requieren de un encuadre vertical para no incluir espacios innecesarios.

■ Un encuadre contrapicado coloca la figura contra el cielo. Esto puede evitar un fondo que pueda distraer del elemento principal. En este caso, el movimiento de las hojas de un árbol desde el punto de vista de un caminante puede ser más sugerente que fotografiar la totalidad del bosque.

días soleados que pueden producir extrañas formas hexagonales, no siempre atractivas. Este efecto se produce sobre todo con el zoom o los teles fijos, ya que se debe a la proyección de la luz a través de las lentes, y éstas son más numerosas en dichos objetivos.

Para solucionar este problema, existen viseras para proteger las lentes de la luz directa.

Si trabajamos con trípode podemos utilizar nuestra propia mano, cuidando de que no aparezca en el encuadre. Es también aconsejable no utilizar filtros en estas ocasiones, ya que al ser una lente añadida, pueden empeorar el resultado.

PUNTOS CLAVE

▶ El trípode permitirá disparar a bajas velocidades, con tele o macro.

▶ La mejor luz es al amanecer, al atardecer o después de la lluvia. Los colores están más saturados y la atmósfera más limpia.

▶ Evitar que la luz incida directamente sobre el objetivo.

▶ Si el fondo no es el más adecuado, llenar el encuadre o abrir el diafragma para desenfocarlo.

■ El agua es un elemento que da mucho juego por su frescura y vitalidad. Un valor estético de peso es captar su movimiento.

Utilizar filtros de color sistemáticamente en la fotografía de paisajes es una mala costumbre. Es preferible reservarlos para potenciar el tono natural del ambiente o para aumentar o disminuir el contraste.

Nada sienta peor a una fotografía de naturaleza que un fondo inapropiado. Si el último término de una imagen nos disgusta existen varias formas que anularlo o restar su protagonismo sobre el conjunto. Podemos optar por llenar el encuadre con el objeto principal. De esta forma, ocultamos literalmente el fondo.

Otra solución es trabajar con menos profundidad de campo (abriendo el diafragma), para reducir los planos más alejados en simples manchas de color. Esta opción puede realzar aún más el tema principal en el encuadre.

También podemos disparar desde una posición muy alta o muy baja. De este modo, el objeto se verá desde un punto de vista picado o encuadrado sobre el cielo.

Aunque parezca obvio, en la práctica no lo es tanto: los objetos verticales quedan mejor en encuadres verticales. Si nos empeñamos en captar un árbol, una montaña, una cascada o cualquier otra forma vertical mediante un encuadre horizontal, podemos añadir a la imagen un entorno que distraiga del centro de atención.

■ Cuando la luz incide con fuerza, el secreto está en captar el contraste, la volumetría y las texturas.

⊞ El paisaje urbano

No todo en un paisaje son flores, montañas, árboles y agua. Un paisaje también puede componerse de edificios, coches, mobiliario urbano, señales de tráfico... Y en este entorno podemos encontrar tantas posibilidades como en el paraje más idílico.

Para empezar, es preciso olvidarse de ir caminando por la calle haciendo fotografías a diestro y siniestro. Esto es, en principio, el peor error que podemos cometer, y por el que muchos aficionados consideran esta temática como una de las menos «agradecidas».

No es necesario buscar lo más «hermoso» o lo más «encantador». En este entorno, lo cotidiano, lo que siempre hemos visto y

■ Una antigua tienda de barrio puede latir como un elemento cotidiano y original a la vez.

■ Los edificios en la ciudad nocturna son tanto o más sugerentes que un paisaje idílico entre árboles y montañas al aire libre. Las luces artificiales, el cemento y las formas geométricas son los «seres vivos» del paisaje urbano.

nunca nos hemos detenido a observar debe ser nuestra fuente de inspiración.

Una buena forma de lanzarse y probar con la fotografía urbana es plantearse un reto que limite nuestra atención a objetos concretos. No dejemos que la cantidad nos aturda. Salgamos, por ejemplo a fotografiar balcones, farolas o bancos, esto nos ayudará a descubrir formas, perspectivas, enfoques, composiciones, planos, etc.

■ La ropa tendida, un motivo que siempre intentamos ocultar y que, sin embargo, resulta muy pictórico.

En la ciudad, nos daremos cuenta de que es primordial tener bien presente la luz y la medición de la misma. El caos de las calles presenta una gran amalgama de claroscuros, colores, texturas, que nos pueden desconcertar, pero que controlaremos con una medición acertada para cada momento.

Si a la luz le añadimos una perspectiva creativa, la imagen será un éxito.

■ A primera hora de la mañana la luz es tenue y fría, las calles se presentan desiertas y con aire fantasmal

En un principio, es preciso acostumbrarse a trabajar con diafragmas no demasiado abiertos o cerrados, para evitar velocidades lentas o desenfoques. Comencemos con objetivos angulares que lo capten todo, que nos den bastante profundidad de campo y líneas de fuga muy marcadas.

Poco a poco, iremos percatándonos de los pequeños detalles, comenzando a utilizar teleobjetivos. Con estos últimos, es aconsejable tener especial cuidado en la fotografía urbana. Los teleobjetivos tienden a aplanar la perspectiva, lo que da como resultado una composición aglomerada.

A pesar de todo, importantes fotógrafos han plasmado la realidad de las ciudades mediante esta sensación algo claustrofóbica o de «horror vacui»

■ Las líneas de fuga que forman las calles vistas desde un plano picado dan perspectiva al encuadre.

■ Los colores y las formas del mobiliario urbano pueden ser elementos atractivos.

■ Inquilinos de siempre: no hay nada más urbano que la policía, barrenderos, bomberos, kiosqueros...

■ Los viandantes llenan de vida un encuadre que podría ser tan sólo un conjunto de cemento y metal.

■ El monólogo de los semáforos, hablando siempre a una ciudad que puede muy bien estar dormida.

■ Las formas y el contraste de texturas pueden quedar bien reflejadas en planos cortos.

(ningún espacio vacío) precisamente mediante la utilización de focales altas: los edificios parecen recortados unos sobre otros en un mismo plano, como si no quedara ni un centímetro por construir. Sin embargo, usado con moderación, el teleobjetivo puede subrayar un detalle aligerándolo de todo ese entorno que no nos interesa.

Quizás el peor enemigo de la fotografía urbana sea el tráfico. Pongámoslo de nuestra parte. Con un trípode, cerrando al máximo el diafragma y con el modo B, podemos convertir el tráfico en una estela que añada vivacidad a un edificio, una estatua o una fuente.

Por último, no podemos olvidar a los viandantes anónimos que nos brindarán una infinidad de oportunidades de captar instantes llenos de espontaneidad. No dejemos escapar de nuestro encuadre al anciano dando de comer a las palomas, a los niños jugando en el parque o a ese peatón que ojea el periódico mientras espera que el semáforo pase a verde...

PUNTOS CLAVE

▶ Lo cotidiano, las formas geométricas, las texturas, las composiciones y los planos son motivos suficientes para llenar estos encuadres de pasajes urbanos.

▶ Trabajar con aberturas intermedias evita velocidades demasiado lentas o poca profundidad de campo.

▶ Las focales cortas permiten captar todo el espacio y su perspectiva, pero no olvidemos el tele en casa.

▶ Los hombres llenan de vida una imagen que podría caer en una amalgama de cemento sin sentido.

⊞ Vida en la fotografía

Por razones obvias, cuando una persona se introduce en nuestro encuadre, la imagen cobra más vida. Un alto porcentaje de las fotografías incluirá a la figura humana, por tanto, es fundamental dar el tratamiento perfecto en cada ocasión para obtener resultados óptimos.

La figura humana es uno de los elementos más interesantes que podemos encontrar, pero también uno de los menos dóciles. Comencemos por lo más sencillo. Una sola persona suele convertirse inmediatamente en el centro de atención de una instantánea, por ello debemos esmerarnos en captarla con naturalidad. Cuando nos van a hacer una fotografía, podemos reaccionar de dos formas: nos inhibimos e intimidamos o sobreactuamos y ponemos posturas poco naturales. Lo que caracteriza a un individuo es su dinamismo y vitalidad; si ésta se pierde, la foto no valdrá nada.

Debemos corregir cualquier expresión torzada antes de tomar la imagen. Una solución bastante efectiva es darle al sujeto algo con lo que entretenerse: un libro, una flor, una

■ La naturalidad es un valor incalculable en las imágenes donde una persona es la protagonista del encuadre.

manzana, pero cuidando de que el objeto no acapare la atención pasando a ser el elemento protagonista. Esto podemos evitarlo mediante enfoques creativos, composición, luz, etc.

Lo ideal en cualquier caso es captar a la persona durante una actividad natural y no posando. Para un resultado mixto, es decir, sin posar pero mirando al objetivo, un truco muy utilizado entre los profesionales es «llamar» a la persona cuando ya tenemos el encuadre y el enfoque deseados. En cuanto el individuo mire el objetivo, debemos apretar el botón, ya que a los pocos instantes el rostro suele tomar matices antinaturales: sonrisa forzada, aspavientos, etc.

En teoría, las fotografías de personas suelen requerir que éstas miren a la cámara para crear una comunicación entre la figura y el espectador. Sin

embargo, en ocasiones, conseguimos más espontaneidad cuando el individuo mira a un hipotético infinito: si el modelo se olvida de la máquina, la persona que vea nuestra foto también lo hará, ¿habrá un efecto más natural que éste?

La figura humana es un recurso muy útil para adornar una composición de objetos que por sí mismos podrían resultar aburridos y monótonos. Sin embargo, tendremos que colocar al individuo en un lugar secundario donde no acapare toda la atención minimizando la importancia de los objetos.

■ Una mirada espontánea crea una relación cómplice entre la figura y el espectador.

Cuando nos encontramos ante un grupo de personas, la cosa se complica y debemos añadir otros factores a tener en cuenta, por ejemplo, la saturación del encuadre. «Todos los de la fiesta quieren salir en la foto» y eso puede convertirse en una composición sin interés, recargada y aburrida. Si no podemos reducir el número de figurantes, ni cambiar el encuadre o desplazarnos para captar algo de fondo que desintoxique la composición, trabajemos con ella, eliminando la linealidad y la monotonía mediante la colocación de los individuos en distintos planos, unos más

■ En ocasiones, a pesar de que la figura humana aporte vitalidad y movimiento a la toma, también puede comportarse con un automatismo sorprendente: unas figuras captadas con su movimiento monótono.

cerca de la cámara que otros, y variando sus posturas: sentados, de pie, arrodillados...

Aunque el retrato será motivo para extendernos en otro apartado, podemos adelantar algunos hábitos fundamentales

■ La tranquila y relajada contemplación de la vejez es un motivo en sí mismo.

■ Por muy hierático y rígido que se muestre el militar turco, aporta ese «no se qué» que llena de sentido el encuadre. Cuando queremos recoger el tamaño de un espacio, la figura humana establece el punto de referencia con el que trabajará el fotógrafo y el espectador para captar las proporciones.

PUNTOS CLAVE

▶ La figura humana es protagonista en cuanto se introduce en un encuadre.

▶ Para corregir expresiones forzadas, una solución es dar al individuo un objeto que entretenga su atención.

▶ Cuando una persona mira a cámara, automáticamente se establece un diálogo entre ésta y el espectador.

▶ En el caso de fotografiar a un grupo de personas, debemos tener en cuenta la posibilidad de que el encuadre quede saturado.

▶ Conviene trabajar con diafragmas cerrados y centrar el enfoque en los ojos, donde reside la mayor carga expresiva.

▶ La velocidad de obturación no debe bajar de 1/100 si queremos que la figura aparezca inmóvil, ya que la misma respiración puede ocasionar efectos adversos.

■ La figura humana situada en el centro aporta una gran fuerza cromática a la composición de la imagen. ¿Se puede pedir más?

■ Más que fotografiar personas, su movimiento, la interacción anónima entre ellas es lo que aporta a la toma ese toque de interés tan deseado.

en cuanto a luz y enfoque. Es muy frecuente colocar a la persona frente a la fuente de luz, pensando que así el rostro quedará mejor iluminado. Esto obliga al retratado a entrecerrar los ojos y arrugar la nariz si la luz es muy intensa, como en el caso del sol. Es preferible que éste ilumine desde uno de los lados o de espaldas, recurriendo, si fuera necesario, al flash de relleno para evitar un posible contraluz y suavizar las sombras.

Si necesariamente tenemos que trabajar con el Sol de cara a la figura, tengamos la precaución de encuadrar, enfocar y decidir detalles técnicos como la velocidad de obturación, manteniendo la mirada de la persona baja para hacer la fotografía en cuanto mire a nuestro objetivo.

Referente al enfoque, conviene no trabajar con diafragmas muy abiertos que reduzcan la profundidad de campo, ya que podemos obtener un retrato con la nariz muy nítida y los ojos y la boca desenfocados.

De cualquier forma, por regla general, en un posado de primer plano debemos enfocar los ojos, ya que en ellos reside la expresividad.

No debemos olvidar que las personas tienden a moverse aunque estén posado. La respiración, el pulso y el equilibrio pueden sumarse a los del mismo fotógrafo, por lo que es preferible trabajar con velocidades altas para evitar decepciones; si las condiciones lumínicas lo permiten no conviene bajar de 1/100.

⊞ El retrato

Un fotógrafo suele sentirse muy predispuesto a tomar imágenes de sus seres queridos, amigos o personas con cierto carisma o peculiaridad. Además, las fotografías tan personales, siempre y cuando tengan cierta intención creativa, suelen estar cargadas de sentimientos, sensaciones y experiencias.

Un retrato no tiene por qué encuadrar necesariamente el rostro. En ocasiones, los gestos corporales, las manos o incluso sombras proyectadas, pueden resultar tremendamente expresivas.

Obsesionarse con poses perfectas tipo top model es una mala forma de empezar. Tomar fotografías de personas debe ser algo natural tanto para el fotógrafo como para el sujeto fotografiado.

Es frecuente ver imágenes de niños en posturas forzadas, nada infantiles, o de jovencitas ridículamente colocadas para parecer más glamourosas. Y sin embargo, conseguir captar la esencia de la infancia o la lozana juventud requiere,

■ En retratos de pose, hacer varias tomas de «calentamiento» requiere muy poco esfuerzo y, sin embargo, conseguimos que el sujeto se relaje.

solamente, observar desde una posición discreta y tomar momentos espontáneos, aunque esto requiera borrar algunas fotografías.

Llegados a este punto, podemos diferenciar dos tipos de retrato: el individual y el de grupo. En el primer caso, nos centramos en una única persona que, normalmente, llena el encuadre o, al menos, es el claro protagonista del mismo. En el segundo, recogemos dos o más sujetos, con lo que aumentan valores como el diálogo y la narración, además de la composición a través de las poses. Los planos suelen ser más abiertos (desde

■ Convertir una desventaja en un acierto no siempre es fácil. Sin embargo, aquí la zona de sombra proyectada por el sombrero es, junto con las manos, lo más llamativo.

■ Si fotografiamos a una persona en un breve alto del trabajo, el retrato gana en naturalidad, a pesar de que el sujeto mire a cámara.

el plano medio al plano general conjunto).

Del mismo modo, podemos dividir los retratos en espontáneos y preparados. En estos últimos existe una determinación previa del entorno, las luces, los objetivos y las composiciones que van a emplearse en las tomas. El sujeto debe tener cierta predisposición a ser fotografiado y suele requerirse unas primeras tomas de «calentamiento» hasta que el individuo consiga relajarse.

Para estos casos, podemos sugerir una expresión inicial seria. A partir de ahí, el rictus forzado va desapareciendo poco a poco, aunque a veces, provoca hilaridad en el modelo, circunstancia que puede ser muy conveniente para tomar expresiones risueñas espontáneas.

Determinar dónde colocar al sujeto es esencial en retratos preparados. Debemos huir de fondos llamativos que resten protagonismo al sujeto, presentándolos, en la medida de lo posible, fuera de foco. De esta forma, los contornos de la figura quedan resaltados.

Cuando las tomas se hacen en exteriores, la luz solar no debe incidir directamente sobre el rostro. Entonces resulta preferible colocar al individuo en un ángulo de 45 grados con respecto a la fuente lumínica. Así, evitamos antiestéticos contrastes y expresiones contraídas. Para suavizar aún más las sombras, podemos utilizar el flash de relleno, alejándonos del sujeto y empleando el teleobjetivo si el destello puede «quemar» la toma.

El flash es igualmente necesario si la figura se encuentra a contraluz. En estas situaciones, si el sujeto oculta la fuente lumínica, podemos conseguir un efecto interesante, ya que los contornos aparecen «recortados» por un halo de luz.

Especial cuidado debemos tener con objetos superpuestos que pueden generar sombras sobre el rostro. Es el caso de sombreros, gafas, flores en el pelo, etc. También aquí la solución reside en un discreto uso del flash.

Las mejores horas del día para realizar retratos en exteriores es al amanecer

■ Disparar justo cuando conseguimos llamar la atención del sujeto funciona muy bien con personas a las que la cámara les intimida y con los niños.

■ Un retrato no tiene por qué encuadrar siempre el rostro, a veces una actitud o una postura son mucho más significativas.

PUNTOS CLAVE

▶ Lo principal en el retrato es captar la naturalidad en las personas. Tomar una posición discreta y esperar es la mejor opción.

▶ En retratos de pose, el individuo debe tener cierta predisposición a ser fotografiado y son necesarias algunas fotografías iniciales de calentamiento.

▶ La luz no debe incidir directamente sobre el rostro de forma perpendicular.

▶ El flash de relleno suaviza las sombras duras y añade una agradable luminosidad.

▶ Los objetos superpuestos, tales como gafas o sombreros, pueden proyectar sombras que quedarán dulcificadas con el flash.

▶ El objetivo debe encontrarse a la misma altura de los ojos. Hay excepciones cuando hay cierta intencionalidad en la toma.

■ Con los niños, generalmente la cámara debe situarse a la altura de sus ojos. El fotógrafo debe colocarse en un lugar discreto, dejarles hacer y disparar sin interceder en lo que estén haciendo, utilizando preferentemente teleobjetivos. Por supuesto, una sonrisa o una mueca siempre serán bienvenidas.

y al atardecer, cuando la luz solar incide angulada con respecto al suelo, evitando las sombras pronunciadas y suavizando las luces.

Generalmente, el objetivo y los ojos del sujeto deben estar a la misma altura. Si, por el contrario, nos decantamos por un plano picado o contrapicado, debemos tener cuidado con poses forzadas o pliegues en el cuello. En cualquier caso, controlar estos puntos de vista puede conseguir imágenes originales y creativas.

El enfoque es un elemento determinante cuando un rostro llena gran parte de un encuadre. El mínimo desenfoque en las zonas más expresivas convierte un retrato en un desastre.

El mejor consejo a seguir en estos casos es establecer el punto de enfoque en los ojos, si el individuo posa de frente, y en el ojo más cercano a la cámara, cuando hacemos una toma de perfil.

En cuanto al resto del cuerpo, debemos huir de posturas severas y forzadas, provocadas por la tensión del modelo. Para conseguir que el sujeto se relaje podemos darle algún objeto para que entretenga parte de su atención y cambie la posición de manos y brazos a unas más naturales. Sin embargo, debemos tener especial cuidado en que el objeto no acapare la atención en el encuadre. Para ello, coloquemos al sujeto sobre una zona áurea.

Por otra parte, según el sujeto, los retratos pueden ser: de niños, de bebés, de ancianos, de modelos profesionales, retratos sin rostros, etc.

La fotografía de niños y bebés puede ser muy agradecida si seguimos unas pautas.

Por regla general, los peques de la casa no suelen sentirse intimidados frente a un objetivo, y suelen comportarse con total naturalidad. Es por ello precisamente por lo que obligarles a posar convierte la toma en algo forzado.

Además, el punto de vista es crucial. Un fotógrafo debe «ponerse a la altura de las circunstancias», es decir, no podemos pretender obtener una buena imagen de un niño que mide menos de un metro desde nuestro punto de vista. Tendremos, pues, que colocarnos a su altura.

En cuanto al flash, debemos tener especial cuidado cuando tomemos fotografías infantiles, ya que los ojos de los niños son muy sensibles. Además, por regla general, su piel es más pálida, por lo que su textura se recoge mejor con luz natural.

Finalmente, lo más adecuado en estos casos es captar instantáneas mientras el niño está jugando, comiendo, riendo... pero todo de una manera espontánea. Si se logra dicha espontaneidad, los resultados serán magníficos.

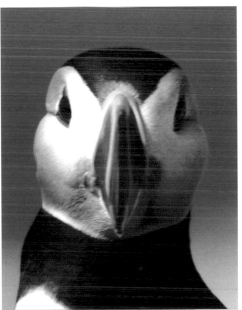

■ Los animales también tienen cabida en el retrato, tanto los domésticos como los exóticos. En cualquier caso, lo importante es captar la naturalidad de su comportamiento y adoptar un punto de vista paralelo con respecto a sus ojos. La paciencia es aquí más que nunca la clave del éxito.

■ Fotografiar a desconocidos en la calle con focales largas suele dar como resultado imágenes sorprendentes por su naturalidad y expresividad.

■ El flash debe usarse con moderación en el caso de retratos infantiles. Destellos cercanos acaban con los matices de su piel. Lo mejor es acompañarlo del tele.

Los retratos de ancianos resultan quizás los más expresivos. Sus rostros reflejan experiencia, madurez, sabiduría, tristeza, etc. La mirada cansada y las arrugas son elementos que, bien tratados, aportan una expresividad que llenan de sentido un encuadre. Este tipo de retratos se realizan utilizando contrastes duros e, incluso, eliminando el color quedándonos con una imagen en blanco y negro.

Cuando se trata de fotografiar animales, debemos armarnos de paciencia, ya que no todos responden a nuestros estímulos. Sin embargo, la espera puede compensar si logramos una postura interesante tras haber dejado al animal a su aire.

Para ello, es preferible utilizar focales largas que nos ayuden a colocarnos en una posición discreta con respecto al sujeto. Por tanto, en esta ocasión, el flash no nos será muy útil.

Por otra parte, los retratos sin rostros suelen ser muy llamativos debido a su originalidad. Además, por regla general, son bastante expresivos ya que cuentan algo sin necesidad de un elemento importante: la expresión facial.

A partir de aquí no nos queda más que poner en práctica las condiciones anteriores, disparar y disfrutar con los resultados.

⊞ La figura humana

Desde el Renacimiento, y ya en la Antigüedad, «el hombre es la medida de todas las cosas». Con esta expresión, los filósofos, científicos y artistas querían resumir la idea de que todo lo que vemos lo clasificamos comparándolo con el ser humano.

Un edificio es verdaderamente grandioso a nuestros ojos si junto a él vemos la figura de una persona, ya que así captamos su proporción.

La vitalidad, el dinamismo y los sentimientos se encuentran en grandes dosis sobre rostros y cuerpos. El ser humano individual, o en conjunción con los que le rodean, completa en sí mismo una temática llena de belleza y naturalidad que siempre ha intrigado a pintores, escultores, arquitectos, intelectuales y, desde hace un siglo, a fotógrafos.

Sin embargo, y a pesar de que estemos rodeados de ella, la figura humana no es un objetivo dócil aunque, como hemos visto, sí fascinante.

■ Un desconocido que camina por la calle puede «contarnos» una historia. Andar con la cámara en ristre, observando a los viandantes que nos rodean y tomando fotografías de todo lo que llame nuestra atención, no sólo puede sorprendernos gratamente, sino que va aumentando nuestra capacidad de observación.

■ Cualquier objeto cotidiano puede servir para realizar un bodegón, si lo presentamos con cierta creatividad y cuidando aspectos técnicos como la luz, la profundidad de campo, la composición y el enfoque. Seguir algunos principios básicos, como huir de la simetría y de los fuertes contrastes, es una buena forma de empezar.

El bodegón

Pocas disciplinas fotográficas juegan tanto con la imaginación, la composición, la luz, en definitiva la puesta en escena, como el bodegón. Este tipo de imágenes tienen fama de ser muy costosas, de necesitar complejos sistemas de luz y equipos especialmente profesionales. Nada más lejos de la realidad. Todo este material puede muy bien sustituirse por creatividad e inventiva, un interesante y divertido reto para el fotógrafo.

El bodegón consiste en plasmar naturalezas muertas, inanimadas, que llenen el encuadre utilizando planos cortos y con una composición e iluminación especialmente cuidada.

Esta disciplina no aporta buenos resultados ante la improvisación. Por tanto, antes de empezar, resulta indispensable saber qué vamos a fotografiar, seleccionar la composición, fondo, iluminación, objetivos a emplear, apertura, etc.

La gran ventaja del bodegón es que podemos trabajar en nuestra propia casa, con materiales sencillos y empleando velocidades muy lentas, ya que el motivo, como en ningún otro caso, permanece absolutamente inmóvil.

El trípode es, por tanto, el compañero ineludible en esta ocasión. Un soporte estático nos proporcionará libertad de movimiento a la hora de establecer todos los detalles, de mirar a través del visor y modificar la escena cuantas veces queramos.

Otro aspecto a tener en cuenta es determinar qué queremos expresar en nuestra fotografía: glamour, alegría, sabor, variedad, contraste... o simplemente captar de una forma original los detalles de un objeto. De ello dependerá la elección de los aspectos técnicos.

Llegados a este punto, debemos diferenciar entre bodegones sencillos y bodegones complejos. Los sencillos se caracterizan por una composición simple, luces uniformes y fondos neutros.

En los complejos se requieren composiciones mucho más elaboradas, juegos de luces y fondos estudiados. Sin embargo, cualquier clase de bodegón se caracteriza por una cosa: la imaginación y creatividad suponen la diferencia entre el éxito y el fracaso.

Analizar los errores habituales en este tipo de imágenes resulta fundamental si queremos conseguir resultados satisfactorios. En primer lugar, generalmente las naturalezas muertas realizadas por aficionados adolecen de una, cuanto menos, inapropiada iluminación. Nuestro gran enemigo será, en estos casos, las luces duras y los contrastes exagerados. Debemos, pues, olvidarnos del flash incorporado de nuestra cámara.

PUNTOS CLAVE

▶ El bodegón recoge objetos inanimados en planos cortos y con una iluminación y composición estudiada.

▶ Esta temática permite trabajar en casa, con objetos cotidianos, con calma y velocidades lentas, siempre que se emplee el trípode.

▶ Las luces duras y los contrastes exagerados son el mayor enemigo del bodegón.

▶ Los fondos desenfocados y la reducida profundidad de campo realzan al objeto principal.

▶ Aplicar la regla de los tercios y huir de la simetría sistemática es un buen consejo.

▶ Cuando se fotografían flores o fruta, mojarlas es todo un acierto, las gotas añaden frescura y brillo a la composición.

▶ El enfoque manual es el más adecuado cuando la composición tiene varios elementos.

■ El enfoque manual es la mejor opción cuando hay varios objetos colocados en distintos planos con respecto a la cámara.

■ Los fuertes contrastes restan naturalidad a la composición.

■ Los planos originales ayudan a mejorar la presentación del objeto.

■ Un juego de texturas y formas simples es la esencia del bodegón.

■ Distintos planos en un solo encuadre, brillos y reflejos... todo vale.

Aprovechando que podemos trabajar con velocidades de obturación lentas, una buena forma de empezar es utilizar iluminación natural o valernos de varios flexos comunes, colocados de tal manera que produzcan un baño de luz sobre el motivo, evitando sombras indeseables. Estas fuentes lumínicas deben estar en ángulos opuestos, evitando la perpendicularidad y el paralelismo con respecto a la cámara.

Para obtener efectos llamativos, podemos colocar un foco que ilumine el fondo. Esto permite potenciar el contorno de la figura sin provocar un contraluz que oculte los detalles del elemento.

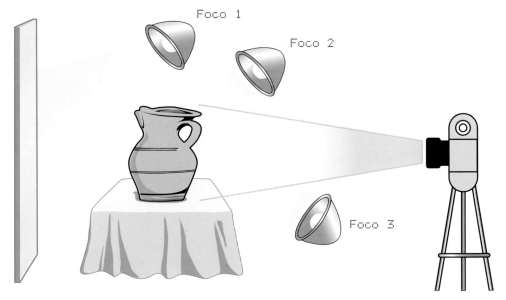

Foco 1

Foco 2

Foco 3

■ Con un trípode y trabajando con velocidades lentas, unos simples flexos pueden hacernos de flash de estudio. Con cuidado de que no aparezcan en el encuadre, uno puede iluminar un fondo desenfocado (Foco 1), otro iluminar intensamente el objeto (Foco 2) y un tercero puede ser una fuente lumínica secundaria para suavizar los contrastes (Foco 3).

También podemos emplear la luz del flash rebotado sobre una superficie clara para difuminar la luz ambiental.

Otro aspecto a tener en cuenta es la profundidad de campo. Por regla general, los fondos de los bodegones funcionan mejor cuando aparecen fuera de foco. Esto conlleva abrir el diafragma que, si estamos trabajando con velocidades lentas, puede ser un problema. En estos casos, lo mejor es utilizar números ISO bajos que, además, aumentarán la calidad de la imagen.

■ No olvidemos los juegos cromáticos que dan los complementarios.

Por otra parte, debemos tener muy claro lo que queremos que quede a foco y lo que preferimos que aparezca desenfocado. Un error en este sentido puede destrozar la composición más elaborada. Por tanto, aprovechemos la inmovilidad del objeto para tomarnos nuestro tiempo a la hora de enfocar.

El enfoque manual es el más aconsejable para estos casos, ya que el autofocus puede ser bastante deficiente en situaciones lumínicas adversas, en composiciones con objetos superpuestos o con texturas o colores semejantes.

■ Mojar y sacar brillo a la fruta añade brillo y frescura a la composición.

En cuanto a la composición, evitemos por todos los medios la simetría. Es un buen momento para poner en práctica la regla de los tercios y las composiciones con juegos de líneas, sobre todo las diagonales, que aportan «dinamismo» a objetos inertes.

Si el bodegón incluye flores o frutas, un pulverizador de agua añadirá brillo y frescura. Las gotas, además, brillarán si empleamos un destello indirecto de flash. Si la textura de la fruta lo permite, podemos sacarle brillo. Con estos detalles, el conjunto aparecerá, sin duda, realzado.

■ La composición aunque parezca casual debe estar bien cuidada: líneas diagonales y objetos que se salgan le aportarán dinamismo y naturalidad.

La fotografía arquitectónica

Muchos fotógrafos sostienen que la fotografía arquitectónica es difícil y un tanto aburrida. Sin embargo, la complejidad de este tipo de imágenes radica sólo en la intuición necesaria para acertar con los recursos que nos proporcionará una instantánea atractiva.

Las fotografías de edificios suelen resultar monótonas y faltas de interés estético. Contra estos resultados, sólo podemos luchar con nuestra creatividad que nos proporcionará imágenes llamativas y originales.

Para romper con la rigidez inherentes a este tipo de objetos, pongamos en práctica todo lo aprendido hasta ahora: la perspectiva, el encuadre, la composición, la luz y, aunque parezca un contrasentido, el movimiento.

■ Si somos observadores, podemos encontrar imágenes más o menos abstractas. En este caso, fotografiar el reflejo de un edificio tradicional sobre otro lleno de vanguardismo y potenciado por un encuadre inclinado para evitar elementos indeseables, presenta un efecto cubista que capta la ciudad de forma diferente.

No debemos olvidar que un edificio es un producto de diseño que se corresponde con una idea estética pensada previamente por el arquitecto. Por tanto, lo más importante (y quizás también lo más difícil), es captar los valores estéticos de la arquitectura.

La composición de estas figuras está hecha, fundamentalmente, a base de líneas y formas geométricas más o menos sencillas que debemos tener en cuenta a la hora de componer la imagen. Algunos profesionales consideran un error la presencia de líneas verticales convergentes en este tipo de fotografías. Es preciso desechar este tópico, ya que estas líneas, bien trabajadas, aportan fuerza y rotundidad al conjunto.

Si realizamos un contrapicado (desde abajo hacia arriba), conseguimos aumentar la perspectiva. Las líneas de fuga se pronuncian más, dando una

■ En la imagen superior, el encuadre se centra en elementos en serie: las columnas. En la parte inferior, a la izquierda el contraste entre dos edificios y la torre de una iglesia, y a la derecha, un contrapicado en contraluz lleno de perspectiva y tridimensionalidad en sí misma.

PUNTOS CLAVE

▸ La creatividad es nuestra gran baza para luchar contra la monotonía arquitectónica.

▸ Buscar el valor estético con el que se concibió el edificio es una buena forma de empezar.

▸ Las líneas y formas geométricas son elementos enriquecedores que llenan de fuerza la composición y conducen la mirada del espectador a través del edificio.

▸ Los picados y contrapicados aumentan la perspectiva y tridimensionalidad en la fotografía.

▸ La profundidad de campo debe ser amplia si queremos que todo el edificio quede a foco.

▸ El flash es totalmente inútil para captar adecuadamente objetos tan voluminosos.

sensación de grandiosidad. Si por el contrario realizamos un picado (desde arriba hacia abajo), conseguiremos un efecto de vértigo.

Como vemos, el punto de toma no puede improvisarse en breves momentos, sino que el aficionado que quiera conseguir una buena imagen arquitectónica deberá estudiar las posibilidades del edificio antes de disparar.

Otro tratamiento de las líneas de fuga consiste en el uso creativo de las distancias focales. Si nos acercamos al edificio y utilizamos un gran angular conseguimos exagerar la perspectiva y deformar leve pero perceptiblemente las formas aumentando, con ello, la sensación de voluptuosidad y «dinamismo», al curvarse mínimamente las líneas rectas.

Con un teleobjetivo podemos limitar el encuadre a algunos detalles del conjunto arquitectónico, obteniendo así una imagen algo más abstracta y con más fuerza en el caso en el que, estéticamente, no nos interese la totalidad del edificio. En ocasiones, «menos es más»: recortando la escena podemos potenciar el valor visual de la imagen.

En cuanto a la técnica, debemos tener en cuenta que estamos fotografiando grandes estructuras, por lo que es necesaria una elevada profundidad de campo. Esto significa que tendremos que cerrar todo lo posible el diafragma, pero también que las condiciones de luz deben ser favorables. Las fotografías arquitectónicas únicamente quedan bien cuando se toman de día o, de lo contrario, con trípode. Olvidémonos, por otro lado, del flash, cuyo destello resulta impotente a la hora de iluminar todo un edificio.

Por otro lado, las condiciones de luz deben ser óptimas y así conseguir un mayor contraste para que las formas sean rotundas y no quede un conjunto plano, sin relieve.

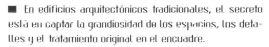
■ En edificios arquitectónicos tradicionales, el secreto está en captar la grandiosidad de los espacios, los detalles y el tratamiento original en el encuadre.

La dificultad inherente a la fotografía arquitectónica de poder tomar la totalidad de un edificio sin elementos molestos del mobiliario urbano puede convertirse en un recurso de interacción que introduzca, de forma atractiva, el entorno que rodea al objeto. Por ejemplo, la estela producida por el movimiento de los vehículos en la noche, cuando captamos una imagen con trípode, puede aportar dinamismo a un edificio inevitablemente estático.

Como vemos, la fotografía arquitectónica más que ser difícil, requiere de imaginación, conocimiento de las técnicas más elementales y, sobre todo, mucha observación.

■ La composición diagonal puede aportar dinamismo a un elemento tan estático como puede ser un edificio. Jugar con espacios llenos y vacíos es todo un acierto.

■ Un edificio de oficinas no tiene por qué ser sólo eso, puede presentarse como un reflejo de la ciudad que espera el fin de la jornada laboral.

PREGUNTAS Y RESPUESTAS

1. ¿Qué velocidad debe emplearse para captar un chorro de agua con el romántico efecto de parecer un manto de niebla?

R. A partir de 1/15 de velocidad queda recogido el recorrido o movimiento del agua cuando ésta cae. Sin embargo, cuanto más lenta sea la velocidad, el efecto de niebla quedará más patente. Lo mejor es siempre hacer varias pruebas para conseguir el resultado más satisfactorio.

2. ¿Cómo fotografiar animales nerviosos?

R. Lo mejor es hacerlo desde cierta distancia, en condiciones lumínicas favorables que premitan trabajar a altas velocidades manteniendo una profundidad de campo aceptable. Si observamos con paciencia a un animal, comprobaremos que, por muy nervioso que éste sea, sus movimientos siguen cierto ritmo. Disparemos cuando se ralenticen y no abandonemos el tema con facilidad. Los animales y los niños requieren muchas tomas.

3. ¿Cómo se fotografía un edificio con un plano nadir? ¿No dominaría demasiado el cielo en el encuadre?

R. Si utilizamos un objetivo angular, no sólo encuadraremos cielo sino parte del edificio con lo que marcaremos su grandiosidad. Por otra parte, en estos casos, la interacción entre diversas construcciones es un valor añadido que resulta preferible a limitarnos a una sola estructura arquitectónica. No hay que olvidar que captar el entorno es también importante en este tipo de tomas.

2. La paciencia y la distancia son los mejores acompañantes a la hora de tomar fotografías de animales salvajes o muy nerviosos.

3. Las distancias focales bajas y la interacción entre elementos son principios fundamentales para que un plano nadir tenga sentido en la fotografía arquitectónica.

4. La presentación cuidada y original junto con la iluminación cenital y el fondo de un color plano e intenso son los elementos esenciales en la composición de este bodegón.

4. ¿Cómo se realiza la composición de un bodegón con un único objeto?

R. Existe composición aunque solamente encuadremos una figura. Bien es verdad que quizás requiera de un mayor esfuerzo creativo. El secreto está en una disposición, presentación e iluminación originales.

5. ¿Qué es la imagen seriada?

R. Cuando hablamos de imagen seriada nos referimos a la repetición de elementos iguales en su composición, en la que, en ocasiones, alguno de ellos cambia rompiendo la monotonía de la imagen. Una toma seriada y el grafismo mantienen un punto en común: su valor se encuentra más en la forma y el ritmo que en los objetos en sí mismos

6. ¿Cómo se fotografían atardeceres?

R. Lo más interesante de un atardecer es el ambiente y la luz que le rodean. Captar los colores y la atmósfera debe ser el objetivo de este tipo de tomas. Por ello, más que a la iluminación que, por otro lado, sigue las pautas de cualquier fotografía a contraluz, debemos centrarnos en los elementos que se incluyen en el encuadre y que responden a lo que nos ha conmovido en la escena.

7. ¿Qué velocidad congela el movimiento de una ola en un paisaje marino?

R. Podríamos decir que con una velocidad de 1/250 la ola quedaría nítida si el enfoque es acertado. Pero si lo que pretendemos es inmovilizar el agua hasta tal punto que la cresta de la ola muestre gotas aisladas, la velocidad deberá superar el 1/1000.

5. La imagen seriada se basa en la repetición de elementos o formas, lo que la acerca y equipara en gran medida al grafismo.

6. Recoger en una imagen el ambiente romántico y nostálgico de un amanecer es lo que da sentido a este tipo de tomas.

7. Las marinas son interesantes en cuanto a movimiento, luz, brillo y frescura.

CÓMO EVITAR LOS ERRORES MÁS COMUNES

Actualmente, es difícil encontrar un hogar que no cuente con ordenador y cámara de fotos digital. La tecnología digital está cada día más al alcance de nuestros bolsillos, los precios se han reducido notablemente y las prestaciones de algunos equipos son extraordinarias.

Sin embargo, por muy sorprendente que sea nuestra cámara, jamás contará entre sus opciones con la de «hacer fotos excelentes». Lo que sí podemos conseguir es que saque exactamente lo que queremos, tal y como nos lo propongamos.

En este capítulo haremos un rápido repaso para corregir malos hábitos y prever futuros errores que pueden evitarse muy fácilmente.

1. «Quietos, por favor»

En el momento de disparar, es importante permanecer completamente inmóvil y sujetar la cámara firmemente con ambas manos. Una costumbre muy extendida y, sin embargo, nada aconsejable es mirar a través de la pantalla y no por el visor, esto obliga a tener la cámara alejada del rostro, aumentando así la inestabilidad. Es importante que al pulsar el botón movamos únicamente el dedo y no toda la mano. Para evitar que alguien nos desequilibre al pasar junto a nosotros y a la vez aumentar los puntos de apoyo, resulta una buena costumbre pegar los codos al cuerpo.

Si las condiciones de luz son desfavorables o simplemente vamos a disparar a baja velocidad, debemos aguantar la respiración para evitar vibraciones, y separar las piernas adelantando un pie y atrasando el otro, convirtiendo así nuestro propio cuerpo en un trípode improvisado y ganando estabilidad.

2. Evitemos los ojos rojos

En las imágenes donde aparecen personas o animales domésticos es frecuente encontrar que los ojos se han reducido a dos desfavorecedores puntos rojos. Esto ocurre únicamente cuando usamos el flash. La explicación para este efecto es muy sencilla. En la oscuridad, o en la penumbra, nuestras pupilas están dilatadas para captar más luz y ayudarnos a ver mejor. Si en ese momento utilizamos el flash, los ojos son captados por la cámara antes de que la pupila disponga de tiempo suficiente para cerrar-

Posición correcta

Consejos

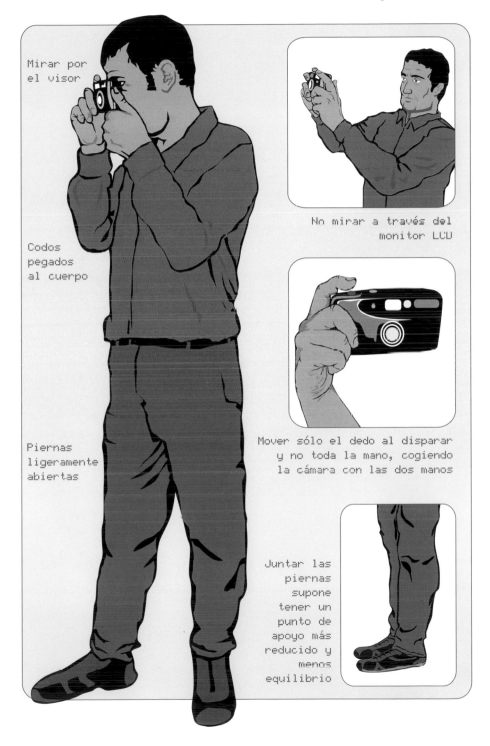

Mirar por
el visor

Codos
pegados
al cuerpo

Piernas
ligeramente
abiertas

No mirar a través del
monitor LCU

Mover sólo el dedo al disparar
y no toda la mano, cogiendo
la cámara con las dos manos

Juntar las
piernas
supone
tener un
punto de
apoyo más
reducido y
menos
equilibrio

se, con lo que devuelve el tono rojizo del interior del ojo que, con el brillo del flash, da como resultado el típico efecto de «ojos rojos».

Para evitarlo, las cámaras actuales tienen una opción de «flash anticipado», esto es, un primer destello que cierra la pupila antes del flash definitivo. Si estamos ante un posado, es importante advertir al sujeto de que habrá una doble iluminación, ya que tras el primer destello se suele abandonar la pose.

3. ¿Demasiado contraste?

No siempre la falta de luz es lo que nos crea problemas a la hora de fotografiar un objeto; en ocasiones, la excesiva iluminación puede dar como resultado imágenes demasiado contrastadas, es decir, con sombras muy negras y zonas ultrabrillantes que distraen la atención de los elementos principales.

Este error es más fácil de evitar mediante técnicas fotográficas mejoradas que echando mano al retoque con programas de edición de imágenes. Si la cámara dispone de ajuste de contraste, es preferible no tener seleccionada la opción de «alto contraste». Es siempre más aconsejable aumentar el contraste mediante el programa de edición de imágenes que disminuirlo, por tanto, hay que trabajar preferentemente con opciones de contraste suaves. Si la cámara carece de este dispositivo podemos eliminar fuentes de luz directa (en interiores) o esperar a que el ángulo del sol se encuentre a unos 45 grados con respecto a la tierra (en exteriores). También podemos valernos de filtros polarizadores o de tonos fríos (azules y verdes).

Otra forma de reducir el contraste en exteriores es aplicando el «flash siempre activo» para que éste se dispare a pesar de que haya luz suficiente. El flash suavizará las sombras de los objetos que se encuentren en su radio de acción. Así evitaremos esas frecuentes manchas oscuras sobre las cuencas de los ojos y bajo la nariz en las fotos que se toman en la playa o en un día de campo. Igualmente, debemos tener en cuenta que es preferible disminuir el tiempo de exposición; una imagen subexpuesta se puede arreglar en el laboratorio digital, una sobreexpuesta no.

4. Cuando el flash no es suficiente

No debemos olvidar que el flash no es «todopoderoso». La luz que desprende, a pesar de ser intensa, tiene un radio de acción bastante limitado, por tanto resultará inútil si el objeto de nuestro interés se encuentra alejado.

¿Cómo podemos saber el alcance de nuestro flash? Una unidad de flash incorporada tiene un alcance máximo de 3 metros con un ajuste de ISO 100. Si contamos con un flash independiente y ultrapotente, la distancia puede aumentarse a unos 7 metros.

Para evitar decepciones en estos casos, resulta aconsejable trabajar con la opción de ISO 400 que aumenta el alcance del flash en un 40 %. Podemos trabajar incluso con ISO 800, sin embargo, algunos equipos no mantienen la calidad de la imagen con números ISO elevados, provocando «ruido digital», una leve distorsión que se asemeja al «grano» de las películas tradicionales.

Si nos decidimos por un número ISO alto y aumentamos la exposición (disminuyendo la velocidad de obturación y abriendo el diafragma), podemos incluso permitirnos el «lujo» de apagar el flash y trabajar con luz ambiente. Resulta sorprendente lo natural que puede quedar esta clase de fotografías. Con velocidades inferiores a 60 conviene utilizar trípode o algún tipo de apoyo estable. El movimiento de los objetos puede dar lugar a efectos expresivos interesantes.

Los profesionales suelen utilizar unidades de flash remotas que distribuyen por el área de acción. Un flash remoto se activa mediante el destello del principal iluminando zonas que éste no alcanza. Una de las ventajas del equipo digital es poder comprobar «in situ» los resultados, por tanto, en estos casos, conviene ver la imagen obtenida en la pantalla para decidir qué opción tomar si lo que vemos no nos convence.

5. Mantener los objetivos limpios

Las lentes son cristales que con frecuencia atraen motas de polvo y pelusas. Además, si la cámara es réflex, lo que vemos a través del visor o el LCD es la imagen a través de espejos, no de todas las lentes por donde se captará la imagen final. Por lo tanto, a pesar de que, en principio, no las veamos, pueden aparecer manchas, huellas o fibras que estropeen la calidad de la imagen.

Por tanto, limpiar habitualmente las lentes, sobre todo si las cambiamos con frecuencia, es una buena costumbre. Para ello, debemos utilizar un paño o gamuza especial para este fin, aunque muy bien puede servir el que se utiliza normalmente para limpiar las gafas. La limpieza no debe realizarse en seco: es preferible humedecer la tela o preferentemente utilizar un líquido para lentes que evitará que éstas atraigan el polvo. Con estas precauciones ganaremos en nitidez y claridad.

LOS FILTROS

Aunque los programas informáticos de retoque de imagen incorporan multitud de filtros para añadir color y efectos especiales a las fotografías, sustituyendo así los filtros tradicionales, hay algunos que ningún ordenador puede reemplazar. Hagamos un repaso de ellos.

En efecto, no todos los filtros se han perdido. Estas herramientas se colocan incorporándolas en el objetivo con una rosca. A pesar de esto, la mayoría de los objetivos para cámaras digitales carecen de dicha rosca. La solución, aunque algo incómoda, es sujetar nosotros mismos la lente sobre el objetivo, con cuidado de no proyectar sombras. El resultado final será exactamente el mismo.

Si alguno de nuestros objetivos contase con esta rosca, un filtro tremendamente práctico es el UV o Skylight. Este filtro reduce la tonalidad de azul en las sombras y escenas distantes. Este filtro tiene un precio muy reducido y su principal función es proteger la lente de nuestro objetivo de golpes y arañazos.

Otro filtro que aumentará la calidad final de la imagen es el polarizador. Su utilidad más destacable es la reducción o, incluso, la eliminación de reflejos de cualquier superficie a excepción del metal. Estos filtros incorporan un doble aro, uno fijo y otro que gira para adaptarlo al ángulo de reflexión hasta eliminar el reflejo.

■ Polarizadores, filtros UV, filtros de colores, de tonos degradados, de estrella... Algunos pueden sustituirse en el ordenador y otros no. De lo que no cabe duda es de que abren una puerta inagotable a la creatividad. Investigar tanto con lentes como con el programa de edición de imágenes es una vía inestimable para conocer mejor nuestro equipo.

Los filtros de densidad neutra o ND reducen la cantidad de luz que llega hasta el CCD de la cámara. Solucionan situaciones en las que las condiciones lumínicas exigen un diafragma muy cerrado y una velocidad muy alta y, sin embargo, necesitamos lo contrario (bajar la velocidad para captar el movimiento, abrir el diafragma para que los fondos queden desenfocados...). Estos filtros suelen venderse en paquetes de reducción de medio a cuatro diafragmas, lo que nos permite controlar apertura y velocidad casi a voluntad.

Efectos llamativos y románticos sobre las luces directas son las que proporcionan los filtros de estrella. Este accesorio convierte los halos de luz en estrellas ofreciendo un resultado espectacular y muy profesional. Suelen ser bastante caros, más cuanto mayor es el número de puntas de estrella.

Aunque los filtros de color son fáciles de aplicar mediante programas de retoque fotográfico, no viene mal tener alguno. Tengamos en cuenta que en fotografía es importante saber mirar para ver la imagen adecuada y cómo mejorarla. No lo dejemos, pues, todo al ordenador, porque éste no hace milagros.

Los filtros de tonos fríos (azules y verdes) reducen el contraste en situaciones con fuente de luz fuerte y directa, suavizando sombras y brillos muy marcados.

Los cálidos (rojos y amarillos) aumentan el

■ Tanto los filtros UV como los polarizadores cumplen una función secundaria esencial: protegen la lente original de golpes y ralladuras.

contraste, algo muy adecuado en paisajes y bodegones. Si colocamos un filtro rojo sobre una toma donde domine un cielo con nubes, veremos que el relieve de éstas aumenta, dando más fuerza y expresividad al entorno.

PREGUNTAS Y RESPUESTAS

1. ¿Se puede obtener el efecto de estrella en las fuentes de luz sin contar con un filtro específico?

R. En ocasiones se puede conseguir con el sol. Para ello es necesario utilizar un objetivo angular para que la fuente de luz quede muy pequeña en el encuadre. El diafragma debe estar muy cerrado, con una abertura máxima de f-22 o f-16. Hay que tener en cuenta el ángulo en el que colocamos el sol, para evitar antiestéticos halos de luz.

2. ¿Se puede disimular una iluminación plana empleando algún filtro?

R. Sí, se puede. Los filtros rojos, naranjas y amarillos aumentan el contraste y con ello el volumen de los objetos. Sin embargo, los azulados y verdosos son ideales para matizar efectos de luz intensa que producen fuertes contrastes.

3. Los filtros de densidad neutra reducen la luz que entra en el objetivo, pero ¿existe algún filtro que produzca el efecto contrario?

R. No, lamentablemente no. Sería fantástico que un filtro así existiera, pues acabaría con muchas situaciones insalvables en fotografía sin el uso del flash o un ISO demasiado elevado. La luminosidad está determinada por el objetivo y se establece por la mínima abertura que éste permite. No olvidemos que un filtro es una lente que se coloca al principio del objetivo, por tanto puede añadir o paliar efectos cromáticos, brillos, reflejos y restar luz, pero nunca aumenta la luminosidad del objetivo en sí.

1. Con un angular y algo de pericia, un fotógrafo puede simular el efecto de un filtro de estrella.

2. Estas dos imágenes muestran una comparativa en la que se aprecia claramente la diferencia de contraste cuando se utilizan filtros cálidos.

4. Algunas fotografías realizadas en exteriores o zonas de sombras quedan con una preponderancia azulada muy marcada. ¿Cómo se puede paliar este efecto?

R. Estas dominantes cromáticas pueden corregirse muy fácilmente con el programa de edición de imagen pero es una buena costumbre pretender que la imagen llegue al ordenador con la máxima calidad posible. Los filtros cálidos 81A o 81B corrigen cualquier dominante fría (azulada o verdosa).

4. Un filtro cálido contrarresta los tonos azulados en exteriores intensamente iluminados.

5. ¿Cómo se utilizan los filtros degradados?

R. Los filtros degradados se emplean para modificar la tonalidad cromática de una mitad del encuadre mientras la otra permanece fiel a la realidad. Estos filtros deben colocarse de tal forma que no se note su empleo, lo más efectivo es hacer coincidir la línea de separación del degradado con la del horizonte

6. A menudo se ven fotografías realizadas a través de algún cristal. Sin embargo, ¿cómo es posible evitar los reflejos que se interponen entre el fotógrafo y el objeto?

R. La solución se encuentra en el uso de un filtro polarizador que cuenta con una doble rosca que al girar va eliminando o potenciando los reflejos, permitiendo realizar fotografías a objetos a través de un escaparate o de unos novios dentro del coche nupcial.

5. Cuando no hay una línea delimitadora clara, es preferible utilizar un filtro oscurecedor con un degradado progresivo que recorra toda la lente.

7. ¿Pueden emplearse filtros en cámaras que no sean réflex?

R. Sí, pero es realmente incómodo. Además, la única forma de averiguar si la posición del filtro es la adecuada es realizar varias tomas.

EL LABORATORIO DIGITAL

Con un equipo digital la diversión y la creatividad no acaban en el momento de tomar una instantánea. De hecho, ya en la fotografía tradicional, es frecuente escuchar que en el cuarto oscuro detectamos muchos errores que van desapareciendo en las siguientes tomas.

A pesar de que los programas de edición digital sean hijos de los métodos tradicionales, no es necesario tener conocimientos previos en este campo y, por lo tanto, con un mínimo esfuerzo empezaremos a conservar imágenes que de otro modo acabarían eliminadas.

Es importante recordar que el laboratorio digital, aunque eficaz y sencillo, no hace milagros, esto es, una fotografía que se haya hecho sin un mínimo de técnica es imposible de recuperar.

Por tanto, no menospreciemos lo aprendido hasta ahora, ya que sin ello este capítulo poco o nada aportaría a nuestras instantáneas.

Ante todo, trabajando con el programa de edición se hace necesario seguir una serie de pautas para no terminar manipulando las imágenes de forma caótica y sin sentido. Por otra parte, dichas pautas se corresponden con los aspectos esenciales con los que una fotografía debe contar para que se considere correcta:

- Contraste adecuado. Una imagen con bajo contraste resultará plana y sin vida. Por el contrario, el exceso de contraste implica una dureza excesiva y la pérdida de detalles en las zonas claras y oscuras.

- Realismo en los colores. Los colores deben corresponderse con la realidad. En ocasiones, por el tipo de iluminación, por un incorrecto balance de blancos o un uso inadecuado de los valores ISO, los colores de los objetos no se corresponden a los que éstos tienen en realidad.

PUNTOS CLAVE

▶ El laboratorio digital, aunque efectivo, no es milagroso. La imagen original debe tener un mínimo de corrección técnica para poder ser mejorada. Los errores muy marcados son insalvables.

▶ Trabajar con el programa de edición de imágenes requiere seguir una serie de pautas que sirvan de guía y orden: contraste, realismo, saturación de los colores y nitidez.

▶ El tono de piel en los retratos puede ser un punto de referencia de inestimable valor para modificar los parámetros lumínicos y cromáticos.

■ El laboratorio digital se compone básicamente del disco duro del ordenador, el teclado, la pantalla, el ratón y la impresora. Otros accesorios útiles son el escáner y periféricos como el CD-Rom o el lector de Zip.

– Colores correctamente saturados. Los colores deben ser fuertes, pero también exactos. Los valores cromáticos con demasiada saturación resultan irreales y poco favorecedores. Por el contrario, los colores desvaídos dan como resultado imágenes apagadas.

– Naturalidad en los tonos de la piel. En el caso de fotografiar personas, un buen punto de referencia cromático se encuentra en la piel. En ella salta inmediatamente a la vista cualquier error en este sentido.

– Imágenes nítidas pero no pixeladas. Las fotografías con una definición adecuada muestran detalles nítidos en las áreas enfocadas. La falta de nitidez presenta la imagen de una forma borrosa y difusa. El efecto contrario, el exceso de definición conseguido con el programa informático, saturan la fotografía resultando un contraste nada natural ni estético, además de incrementar el llamado ruido digital.

Con estas pautas y una serie de ejercicios prácticos, conseguiremos imágenes profesionales y de alta calidad.

⊞ Calibrar la pantalla

El usuario de un programa de edición de imagen necesita trabajar sobre los valores cromáticos y lumínicos de las fotografías que previamente ha tomado con su cámara. Estos ejercicios constituyen la base dentro de lo que podríamos denominar el laboratorio digital. Sin embargo, el fotógrafo realiza su labor sobre una pantalla basada en colores luz, a pesar de que normalmente, el objetivo es imprimir en papel las copias. Cualquier impresora, por lógica, emplea colores tinta. Por tanto, resulta imprescindible adecuar lo que vemos a través de la pantalla con los resultados finales. La coincidencia entre lo que nos muestra el monitor y lo que nos ofrece la impresora se consigue calibrando la pantalla.

Figura 1. Menú Archivo.

Figura 2. Cuadro de diálogo Abrir.

La tecnología actual cuenta con diversos medios enfocados a este fin. En este punto estamos de enhorabuena, ya que el más efectivo y aplicable a todos los equipos sin necesidad de programas especiales para ello es también el más sencillo de los sistemas de calibración. Se trata de realizar varias pruebas de impresora de fotografías distintas.

A continuación, se comparan dichas pruebas con los originales que vemos en pantalla. En seguida se aprecian algunas diferencias en cuanto a contraste, saturación de los colores, variaciones cromáticas y luminosidad.

El usuario deberá modificar los parámetros de brillo, contraste, rojo (R), verde (G) y azul (B), hasta que la dos imágenes, la de pantalla y la de impresora, coincidan.

Es conveniente recordar también que debemos cambiar el modo de la imagen. Por regla general, las cámaras digitales guardan las fotografías en modo RGB (los tres colores luz). Sin embargo, para sacar el máximo partido a la calidad cromática de nuestra impresora, es fundamental modificar el modo a CMYK (los cuatro colores tinta).

Primeros pasos con Photoshop

Photoshop es el programa de edición de imágenes más completo, profesional y extendido del momento. A lo largo de sus numerosas versiones ha ido añadiendo opciones que ha hecho más fácil el tratamiento digital de las fotografías, hasta tal punto de que las últimas actualizaciones se reducen a detalles sólo perceptibles al ojo profesional.

Es cierto que Photoshop es un programa complejo a la hora de realizar transformaciones digitales extremas e ilustraciones. Sin embargo, ofrece una interfaz realmente intuitiva y sencilla para modificaciones más comunes y cotidianas.

Para no perdernos en el laberinto de posibilidades que el laboratorio digital ofrece, nos limitaremos a explicar y detallar las funciones de aquellas opciones que vayamos a poner en práctica en este curso.

Y para ello nada mejor que... empezar.

Una vez abierto el programa, vamos a hacer un recorrido por las zonas de trabajo donde se encuentran las herramientas principales. Sobre la parte superior de la pantalla, tenemos una barra de menú compuesto por varias pestañas desplegables: Archivo, Edición, Imagen, Capas, Selección, Filtros, Ver, Ventana y Ayuda.

<u>ARCHIVO:</u> Dentro de este menú y si colocamos el puntero sobre él, desplegamos, entre otras, varias funciones que afectan a la apertura, cierre, impresión y formas de guardar un documento (Ver figura 1).

Abrir: Si seleccionamos esta opción haciendo click sobre ella con el botón izquierdo del ratón, aparece un cuadro de diálogo en el que tenemos acceso al disco duro y a los periféricos conectados a nuestro ordenador. (Ver figura 2).

Figura 3. **Cuadro de diálogo de aviso de Guardar Como.**　Figura 4. **Menú Edición.**

Figura 5. **Menú Imagen.**

Figura 6. **Ventana Modo.**

De esta forma podemos navegar por las distintas carpetas hasta encontrar y seleccionar el documento que deseamos abrir. Para ello únicamente tendremos que pulsar sobre el botón abrir.

Photoshop puede abrir y guardar documentos en los siguientes formatos: EPS, JPEG, PDF, PICT, PNG, RAW, Scitex, TIFF, Bitmap, GIFF y DCS, aunque los más utilizados son TIFF y JPEG para imprimir en papel, y GIFF para imágenes web. El formato TIFF ocupa más memoria pero también mantiene toda la calidad original de la imagen, ya que no es un compresor.

Cerrar: Cuando queramos terminar la sesión del documento, tendremos que seleccionar esta opción. Si hemos realizado cualquier modificación, el programa mostrará una ventana en la que pregunta al usuario si desea o no guardar el documento con los cambios realizados.

Guardar: Con esta pestaña salvamos las transformaciones que hemos realizado sobre la imagen desde el momento en que se abrió o desde la última vez que se guardó. Esta función guarda el documento con sus cambios con el mismo nombre y en el mismo lugar, es decir, en el mismo archivo.

Guardar Como: Esta opción guarda una copia del documento original. Cuando se activa pulsando sobre ella, aparece un cuadro de diálogo que cuestiona al usuario sobre el nuevo nombre y/o lugar donde debe guardarse la copia.

Si el nuevo documento va a guardarse en la misma carpeta que el original es necesario variar, aunque sea mínimamente, el nombre, ya que de lo contrario la nueva imagen remplazará a la anterior, no sin antes preguntar al usuario si está seguro de querer dicho reemplazo (Ver figura 3).

Guardar para Web: Permite guardar la imagen con un formato más adecuado para internet por su alto nivel de compresión: el formato GIFF. Existen otros formatos apropiados, como JPG y PNG.

Imprimir: Activa una ventana de diálogo donde podremos seleccionar las opciones que deseemos de nuestra impresora. Estas opciones dependen de cada modelo de impresora. Generalmente incluye ajustes de tamaño, papel y resolución.

<u>EDICIÓN:</u> Incluidos en este desplegable se encuentran algunas opciones simples propias de cualquier tipo de programa informático: Deshacer, Copiar, Cortar, Pegar o Borrar, entre otros (Ver figura 4).

Deshacer: Permite desandar el último paso dado en el documento. Es muy útil en caso de cometer un error. Photoshop posee además una opción llamada Historia que permite retroceder en un gran número de operaciones, como veremos más adelante.

Copiar: Esta función permite realizar una copia de algo previamente seleccionado dentro del documento, pero no del documento en sí. Es decir, se selecciona información determinada del documento, no el documento en sí. La información de la copia queda registrada en el portafolio (memoria rápida) hasta que es pegada sobre un soporte adecuado, en este caso un soporte para imagen digital creado por cualquier programa de tratamiento de imagen.

Pegar: Con esta pestaña colocamos la selección copiada previamente y almacenada en el portafolios en un documento.

Es importante tener en cuenta que el portafolios solamente puede recoger una copia, en tal caso pegará siempre la última que se haya realizado y que, previamente, ha sustituido a la anterior.

Borrar: Elimina un selección dentro del documento, pero no el documento en sí.

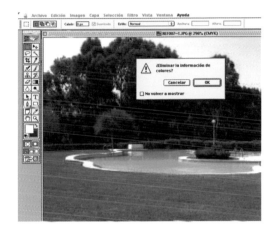

Figura 7. **Cuadro de diálogo Escala de Grises.**

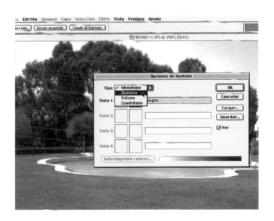

Figura 8. **Cuadro de diálogo Duotono.**

<u>IMAGEN:</u> Lógicamente este menú tiene mucha importancia para el tratamiento digital de las fotografías. En ella se encuentran algunas de las herramientas que más vamos a utilizar en este curso ya que afectan directamente a la naturaleza y condiciones de la imagen. Nos detendremos especialmente en las opciones de Modo, Ajustar y Tamaño de Imagen (Ver figura 5).

Figura 9. **Menú Ajustar.**

Modo: El modo afecta a la forma en la que se guarda la imagen en cuanto a color. Si hacemos click sobre el desplegable aparecen varios modos de los cuales nos interesarán de momento los siguientes: Escala de grises, duotono, RGB y CMYK (Ver figura 6).

El modo **Escala de grises** elimina la información cromática convirtiendo el documento en una imagen en blanco y negro, no sin antes preguntarnos si estamos seguros de querer eliminar la información cromática del documento (Ver figura 7).

El **duotono** permite jugar con dos tonos, normalmente el blanco y otro color como el azul o el marrón, aunque admite infinitas combinaciones diferentes. Principalmente se emplea para dar la sensación de imagen en blanco y negro virada a sepia o selenio (Ver figura 8).

Con el **RGB** (Red-Green-Blue) la imagen conserva sus colores para un soporte iluminado como una pantalla de ordenador. Es el modo utilizado cuando la fotografía va a almacenarse en un soporte digital como internet o un visualizador tipo DVD, por ejemplo. También es el empleado en transparencias y proyecciones.

Si la intención del usuario es reproducir la imagen en papel, el modo más adecuado es el **CMYK** (Cyan-Magenta-Yellow-Black), que

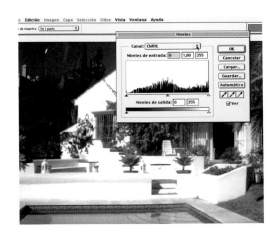

Figura 10. **Cuadro de diálogo Niveles.**

distribuye los colores en valores de cuatricomías esencial para colores tinta.

Ajustar: En esta opción se encuentran las ventanas cuya función primordial es modificar valores cromáticos y lumínicos en la imagen. Nos detendremos principalmente en Niveles, Niveles Automáticos, Brillo/Contraste y Tono/Saturación (Ver figura 9).

Niveles: Esta herramienta permite modificar la presencia cromática de cada tono principal. Por ejemplo, una imagen en modo RGB está formada por tres colores luz: rojo, verde y azul. Sobre la ventana Niveles, el usuario puede ir seleccionando cada uno de estos colores y aumentar su influencia en la imagen en las sombras, luces y zonas medias (Ver figura 10).

Con los Niveles, es posible arreglar una imagen demasiado azulada, o con los colores desvaídos.

Niveles Automáticos: Pulsando sobre esta opción, el mismo programa realiza las modificaciones que cree necesarias para mejorar la imagen. Esta forma que en principio puede parecer idónea, no lo es tanto.

De hecho suele ser algo imprecisa, ya que trabaja realizando una serie de medias ponderadas que no siempre son efectivas. Por tanto, es preferible decantarse por la herramienta anterior, en la que es el usuario el que decide los valores a modificar en cada caso.

Brillo/Contraste: Esta herramienta es tremendamente útil si tenemos en cuenta que con ella podemos variar en gran medida la luminosidad y el claroscuro de la imagen. Si la seleccionamos con el puntero, aparece una ventana de diálogo con dos barras donde pueden añadirse valores positivos o negativos tanto de brillo como de contraste. La pestaña de previsualización debe estar activada si queremos ver los resultado conforme vamos modificando los valores (Ver figura 11).

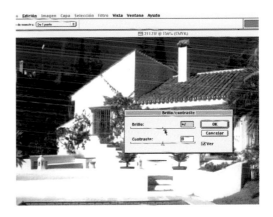

Figura 11. Cuadro de diálogo Brillo/Contraste.

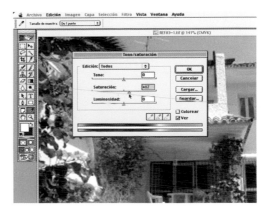

Figura 12. Cuadro de diálogo Tono/Saturación.

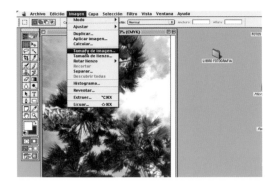

Figura 13. **Menú Tamaño de imagen.**

Tono/Saturación: Si seleccionamos esta opción, la ventana que se despliega y los resultados que se obtienen son muy semejantes a la anterior. Sin embargo, esta herramienta trabaja directamente sobre el color. Puede variar el tono hacia azules, rojos, amarillos y verdes. Del mismo modo, consigue aumentar o restar la fuerza de los valores cromáticos con la barra de saturación, además del brillo de los mismos. La pestaña superior despliega una serie de opciones para modificar el conjunto de los colores o cada uno por separado (Ver figura 12).

Tamaño de imagen: Con esta herramienta, el usuario puede variar el tamaño y la resolución de la fotografía. Sin embargo, hay algo de debemos tener siempre muy en cuenta: si aumentamos el tamaño de la imagen manteniendo una misma resolución, la calidad de la misma disminuye, hasta tal punto que puede quedar totalmente pixelada e ilegible (Ver figura 13).

En la parte superior de la ventana se indica la dimensión total de la imagen en píxeles. En el cuadro inferior denominado «Tamaño del documento» se detalla la anchura y altura de la fotografía. La unidad de medida puede modificarse desplegando las pestañas correspondientes, siendo las más comunes los centímetros, los milímetros y los puntos.

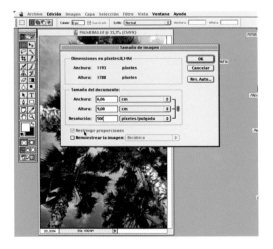

Figura 14. **Tamaño de imagen. Restringir proporciones.**

La casilla «Restringir proporciones» siempre debemos tenerla seleccionada, ya que relaciona los distintos valores entre sí, de tal forma que si variamos uno, los demás se cambian automáticamente. Cualquier modificación que hagamos en este sentido queda reflejada en la dimensión total de la imagen en píxeles con el valor original entre paréntesis: así podemos saber siempre si el tamaño ha aumentado o disminuido, afectando o no a la calidad final de la fotografía (Ver figura 14).

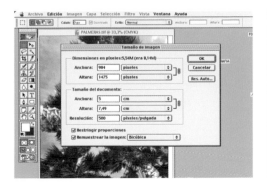

Figura 15. Tamaño de imagen. Remuestrear la imagen.

Figura 16. Menú Seleccionar.

Si la casilla «Remuestrear la imagen» se encuentra desactivada, se establece una relación entre resolución y tamaño. De este modo, los cambios que realicemos jamás afectarán a la calidad, únicamente a las dimensiones del documento. Por el contrario, si activamos esta casilla los valores de tamaño y resolución serán independientes entre sí. Deberemos, en este caso, cuidar que las variaciones no afecten a la calidad de la imagen. Esto sólo sucederá si disminuimos el tamaño de la imagen, nunca si la aumentamos (Ver figura 15).

Cuando la casilla «Remuestrear la imagen» está activada, la relación entre resolución y dimensiones es inversamente proporcional, esto es, al aumentar la resolución disminuyen las dimensiones del documento, y viceversa.

Figura 17. Opciones de Modificar selección.

Figura 18. Menú Vista.

Figura 19. **Encajar en pantalla.**

La resolución adecuada para una imagen varía dependiendo del soporte al que vaya destinada. Una fotografía que va a visualizarse sobre la pantalla no requiere una resolución mayor a 72 píxeles/pulgada.

En el caso de querer imprimir sobre un folio corriente, la resolución debe aumentarse a 150 píxeles/pulgada, a 300p/p si el papel es satinado y de 600p/p a 1200p/p si el papel es fotográfico.

Por el momento nos saltaremos el menú Capas de la barra de herramientas superior y nos detendremos sobre el menú Selección, para analizarlo.

SELECCIÓN: Dentro de este menú desplegable nos detendremos por ahora sobre las opciones de Seleccionar Todo, Deseleccionar, Invertir Selección, Modificar y Similar (Ver figura 16).

Cuando vamos a realizar modificaciones sobre una imagen, tenemos que seleccionar la parte o partes sobre las que queremos trabajar, que quedará acotada por un perímetro de líneas discontinuas en movimiento.

Si hacemos click con el botón izquierdo del ratón sobre la opción Seleccionar Todo, la imagen quedará seleccionada en su totalidad. Deseleccionar desactiva cualquier selección previa.

La opción Invertir Selección es muy útil cuando las áreas que el usuario quiere seleccionar son más numerosas, ya que seleccionando la zona que no interesa e invirtiendo la selección, logramos nuestro objetivo.

El despleglable **Modificar** muestra una serie de opciones muy interesantes que varían algunas características de la selección: Bordes, Suavizar, Expandir y Contraer (Ver figura 17).

Con **Bordes** aparece una ventana de diálogo para indicar un número de píxeles que determinará el grosor del borde del área de selección, siendo el marco lo que queda finalmente seleccionado.

Suavizar curva los vértices de la selección dependiendo del radio de acción que el usuario elija en la ventana de diálogo.

Con **Expandir** se puede ampliar la zona seleccionada a través de su perímetro añadiendo el número de píxeles indicado. Por el contrario, **Contraer** disminuye dicha zona en las mismas condiciones.

Como veremos más adelante, en Photoshop se puede seleccionar una zona que mantenga un mismo color. Pulsando sobre Selección-**Similar**, el programa busca y selecciona automáticamente todas las áreas del mismo color.

El menú correspondiente a **Filtros** ofrece una amplia gama de posibilidades que veremos más adelante.

Por el momento, pasaremos a analizar las herramientas más utilizadas del menú **Vista**, deteniéndonos en Aumentar, Reducir, Encajar en pantalla y Tamaño de impresión (Ver figura 18).

Aumentar y **Reducir** permite redimensionar el área de trabajo para facilitar la manipulación sobre el documento. Éstas son acciones muy comunes, tanto que es preferible utilizar la opción Zoom que se encuentra en el menú Herramientas que estudiaremos en breve.

Si el usuario pulsa sobre **Encajar en pantalla**, el documento se redimensiona de tal forma que se muestra en su totalidad y tan grande como la misma pantalla lo permita. Sin embargo, el tamaño con el que se visualiza no es el real. Para ver el tamaño real en el que se encuentra la imagen y en el que finalmente se imprimirá, el usuario debe seleccionar la pestaña **Tamaño de impresión** (Ver figura 19).

Por último, y para finalizar los aspectos básicos del menú de la barra superior, encontramos la opción **Ventana**. En ella encontramos el resto de los menús que permite manipular distintos aspectos de la imagen y que iremos descubriendo poco a poco.

Recorriendo rápidamente el desplegable Ventanas podemos saber qué menú se encuentra abierto en ese momento y cuál no. El nombre del menú está precedido por Ocultar... o Mostrar... En el primer caso, el menú permanece abierto ya que la opción que se nos permite es ocultarlo. En el segundo, está guardado pero se nos ofrece la posibilidad de abrirlo (Ver figura 20).

Figura 20. Menú Ventana.

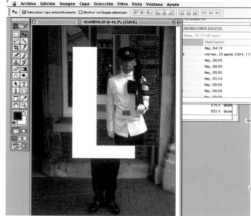

Figura 21. **Herramienta Marco Rectangular.**

Figura 22. **Herramienta Mover.**

⊞ La paleta herramientas

Si seleccionamos sobre el menú Ventanas la opción Mostrar herramientas, aparece una pequeña y alargada barra a la derecha de la pantalla con una serie de botones, cada uno de los cuales marcado con un icono que simboliza su función.

A continuación haremos un repaso por los más utilizados. Ante todo, cada herramienta, que junto a su icono cuenta con un triángulo negro en la esquina inferior izquierda del botón, incluye un desplegable con opciones complementarias o relacionadas con la principal.

Cada vez que pulsamos sobre una herramienta aparece su propio menú de opciones más complejas en la parte superior de la pantalla, justo debajo de la barra superior de menús principales.

Figura 24. **Herramienta Varita mágica.**

Marco rectangular. Ésta es una herramienta de selección que, presionando el botón izquierdo del ratón, selecciona áreas en forma rectangular. Cuenta entre sus opciones desplegables con la posibilidad de Marco elíptico para marcos curvos y Fila única y Columna única para seleccionar una línea horizontal y vertical de píxeles, respectivamente (Ver figura 21).

Mover. Con esta herramienta podemos mover una zona seleccionada previamente dentro de los límites del portapapeles, simplemente arrastrando con el botón izquierdo del ratón (Ver figura 22).

Lazo. La herramienta Lazo permite realizar selecciones irregulares a mano alzada. Entre sus opciones cuenta con Lazo poligonal que marca el área a seleccionar mediante líneas rectas irregulares, y con Lazo magnético que restringe la mano alzada a los píxeles más cercanos (Ver figura 23).

Figura 23. **Herramienta Lazo.**

Varita mágica. Esta es la última herramienta de este grupo. Selecciona una zona de un mismo color (Ver figura 24).

Recortar. Esta herramienta recorta una zona con unas proporciones y resolución determinadas, según los valores indicados en las opciones superiores por el usuario. Tras arrastrar y soltar con el ratón, se oscurece la zona que no haya sido seleccionada para que se pueda comprobar previamente el efecto del recorte. Si pulsamos dos veces sobre la zona seleccionada, un cuadro de diálogo preguntará si se quiere recortar la imagen o anular la orden. Esta opción redimensiona la fotografía (Ver figura 25).

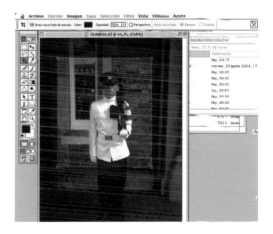

Figura 25. **Herramienta Recortar.**

Con esta herramienta hay que tener especial cuidado, ya que si los valores introducidos son demasiado elevados o el área seleccionada muy pequeña, la imagen aumentará su tamaño pero perdiendo calidad.

Tampón de clonar. Esta opción permite tomar un punto de referencia de

Figura 26. **Herramienta Tampón de clonar.**

Figura 27. **Herramienta Borrador.**

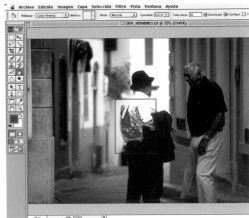

Figura 28. **Herramienta Bote de pintura.**

una imagen y clonarla en otra zona. Es muy útil para borrar y disimular manchas o pelusas que estuvieran en el objetivo de la cámara y hayan quedado recogidas en la fotografía (Ver figura 26).

Borrador. Con esta herramienta obtenemos un puntero con el que podemos borrar sobre la imagen. El grosor y forma de dicho puntero puede variarse en la barra de menú superior de la herramienta (Ver figura 27).

Degradado/Bote de pintura. Esta dos opciones se encuentran en el mismo botón desplegable. Su función es añadir color de forma progresiva

Figura 29. **Herramienta Desenfocar/Enfocar. Opciones.**

Figura 30. **Herramienta Sobreexponer/Subexponer.**

o uniforme, respectivamente (Ver figuras 28).

Desenfocar/Enfocar. Estas opciones, muy útiles cuando queremos reducir a manchas un área o resaltarla, difuminan o añaden nitidez a la parte de la imagen donde es aplicada (Ver figura 29).

Sobreexponer/Subexponer. Oscurecen o aclaran una zona de la imagen con exceso o falta de iluminación. El uso excesivo de esta clase de herramientas que, en apariencia, parecen milagrosas, añaden ruido digital y crean apariencias poco naturales (Ver figura 30).

Figura 31. **Herramienta Texto.**

Texto. Con esta herramienta podemos añadir textos a la imagen, con el tamaño y color que queramos (Ver figura 31).

Mano. La Mano es una herramienta de movimiento que nos sirve para deslizarnos sobre el documento, arrastrando mientras se presiona con el ratón.

Zoom. Si describimos un rectángulo sobre la imagen mientras tenemos seleccionada esta opción, esta zona se ampliará hasta ocupar la totalidad de la ventana de trabajo. En el centro de la herramienta aparecerá un signo +. Si por el contrario queremos reducir el área previamente ampliada, sólo tendremos que utilizar esta misma opción pulsando la tecla ALT. Inmediatamente, el signo + quedará sustituido por el signo -. Bastará entonces con picar sobre el documento para que la imagen vaya reduciéndose (Ver figura 32).

Figura 32. **Herramienta Zoom.**

En la parte inferior de la barra de herramientas, quedan ubicadas opciones como **Color frontal**, **Color de fondo** y **Máscara rápida** que necesitan una explicación más detallada, y que veremos más adelante con la realización de algunos de los ejercicios que requieren de ellas.

Figura 33. Imagen-Ajustar-Brillo/Contraste.

Figura 34. Ventana Brillo/Contraste. Pestaña Brillo.

Brillo/Contraste para las fotografías oscuras

Frecuentemente, nos encontramos con situaciones en las que la iluminación es escasa. En los casos en los que la subexposición no es demasiado elevada, la fotografía puede rescatarse en el programa de edición de imágenes de una forma sencilla y generalmente efectiva.

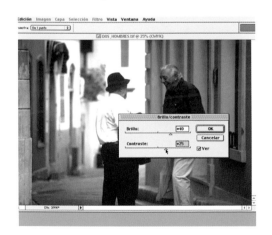

Figura 35. Ventana Brillo/Contraste. Pestaña Contraste.

En primer lugar, abrimos el documento. Para ello nos dirigimos al menú Archivo en la barra de herramientas superior. A continuación seleccionamos Abrir. Inmediatamente aparecerá un cuadro de diálogo que nos permitirá buscar el documento navegando por el disco duro o cualquier periférico. Una vez seleccionado el documento, pulsamos el botón Abrir.

Para acceder al cuadro de ajustes es necesario pulsar en el menú Imagen de la barra superior y después sobre Ajustar del cuadro que se despliega a continuación. Si permanecemos sobre la opción Ajustes, aparece una nueva lista que incluye, entre otras, la pestaña Brillo y Contraste (Ver figura 33).

Haciendo un click sobre ella, aparecerá un cuadro de diálogo muy simple. En él podemos modificar el brillo deslizando con el ratón la barra de nivel. Los valores de la derecha son positivos, es decir, añaden brillo; los de la izquierda son negativos, restan brillo a la imagen final. El punto central marca el estado actual del documento (Ver figuras 34 y 35).

Si queremos ver instantáneamente los resultados de nuestra manipulación sobre la barra, la casilla Previsualización debe encontrarse activada. La barra inferior modifica el contraste y funciona de la misma forma que la de brillo.

Hay que tener en cuenta que el exceso de brillo y contraste disminuye los detalles en las zonas claras de la imagen (Ver figura 36).

Cuando el resultado sea satisfactorio, pulsar OK. De lo contrario, pulsar Cancelar.

Una buena costumbre es hacer varias pruebas con distintos valores. Para guardarlas todas, manteniendo la

Figura 36. Imagen con exceso de luminosidad.

imagen original sin ninguna manipulación, debemos ir hasta el menú Archivo y seleccionar Guardar como, para guardar una copia. Automáticamente, aparecerá un cuadro de diálogo donde debemos especificar dónde queremos guardar el nuevo documento, cómo se va a llamar y con qué formato va a quedar archivado.

En cuanto al formato, el más recomendable es el TIFF, que no afecta a la calidad final de la imagen por mucho que la modifiquemos, ya que es un formato que no comprime el documento. Si guardamos la nueva copia en la misma carpeta donde se encuentra el original tendremos que cambiar el

Antes. Fotografía original.

Después. Fotografía retocada.

nombre, aunque de lo contrario, el programa reemplazaría el original por la copia, antes mostrará un cuadro de diálogo donde pregunta al usuario si realmente quiere reemplazar el documento.

⊞ Colores apagados y sin vida

Tras localizar y abrir el documento, debemos asegurarnos de que el modo en el que la imagen se encuentra es el adecuado. Si queremos la imagen para un soporte en línea (internet, correo electrónico o un álbum digital) el documento debe estar como modo RGB. Si el objetivo es imprimir en papel, la imagen debe quedar guardada como CMYK.

RGB son las siglas que se corresponden con los colores luz (red-green-blue o lo que es lo mismo rojo-verde-azul). Este modo permite una óptima visualización de la imagen en pantalla. Por otra parte, CMYK significa Cyan-Magenta-Yellow-Black que traducido al español es Cian-Magenta-Amarillo-Negro. Este modo se corresponde con los cuatro colores básicos o cuatricomías necesarios para crear a partir de ellos todos los colores impresos (Ver figura 37).

Figura 37. **De modo RGB a modo CMYK.**

El Modo se encuentra en el menú Imagen de la barra de herramientas superior. Si colocamos el ratón sobre él, automáticamente se despliega un menú donde podremos seleccionar el modo deseado. En este cuadro se encuentran también los modos Escala de grises, para convertir la imagen a blanco y negro, o Duotono, para realizar efectos de virados.

Una vez hayamos elegido el modo adecuado para nuestro documento, debemos trabajar con los niveles cromáticos.

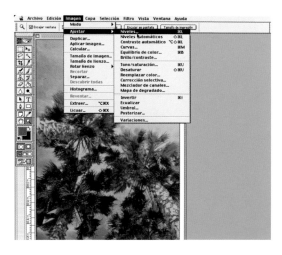

Figura 38. **Imagen-Ajustar-Niveles.**

Figura 39. **Cuadro de Niveles. Canales.**

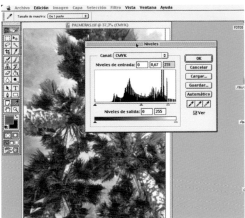

Figura 40. **Cuadro de Niveles. Niveles de entrada.**

Si permanecemos con el ratón sobre la opción Ajustes, se despliega un nuevo cuadro que incluye, entre otros, Niveles y Niveles automáticos.

La opción Niveles automáticos ajusta los valores cromáticos por sí sola. Sin embargo, esta forma no siempre satisface al usuario, ya que el ajuste se realiza mediante unas medias ponderadas que no siempre resultan efectivas. Por tanto, aprenderemos a tocar nosotros mismos estos parámetros, seccionando la opción Niveles (Ver figura 38).

Supongamos que la imagen que estamos tratando es para ser posteriormente impresa en papel fotográfico en nuestra impresora. En tal caso,

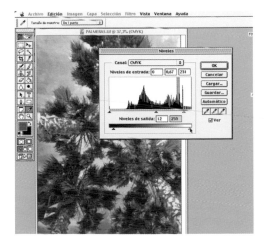

Figura 41. **Cuadro de Niveles. Niveles de salida.**

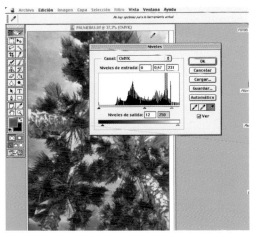

Figura 42. **Configuración del punto blanco en la imagen.**

Antes. Foto original.

Después. Foto retocada.

habremos seleccionado previamente el modo CMYK. Por eso, al pulsar sobre Niveles aparece un cuadro de diálogo en el que podremos manipular los Canales CMYK. Si seleccionamos la barra desplegable de Canales accedemos a cada uno de los cuatro colores que componen la totalidad cromática de la fotografía (Ver figura 39).

Figura 43. Imagen-Niveles-Tono/Saturación.

Para que una imagen quede bien ajustada en cuanto a luz y color no contamos con modelos prefijados. Basta con la observación y el gusto del usuario. Por tanto, una buena costumbre es recortar y conservar imágenes de catálogos y revistas que llamen nuestra atención precisamente por su valor cromático, tomándolas más tarde como referencia.

La barra de Niveles de entrada permite variar los negros (pestaña de la izquierda), blancos (pestaña de la derecha) y medios tonos (pestaña central) de todos los colores en conjunto o de cada uno de ellos en particular, dependiendo de la opción seleccionada en los canales (Ver figura 40).

Los profesionales utilizan también los cuadros superiores donde se pueden introducir valores numéricos para los negros, blancos y medios tonos.

Un fotógrafo que haya realizado varias fotografías de una misma escena y con una misma luz, puede utilizar las mismas cifras para todas las imágenes una vez tratada la primera. También puede memorizar todos estos valores pulsando el botón Guardar de la aplicación, para después recuperarla en cualquier otra ocasión mediante el botón Cargar. En ambos casos, aparece una ventana de diálogo en la que se especifica la ubicación del documento que contendrá los valores de ajuste de niveles.

La barra inferior de la ventana Niveles se corresponde con los niveles de salida que afectan a la luminosidad. La pestaña izquierda afecta a las sombras, mientras que la derecha a las zonas más iluminadas (Ver figura 41).

Entre los botones del cuadro Niveles encontramos tres iconos representados por un cuentagotas negro,

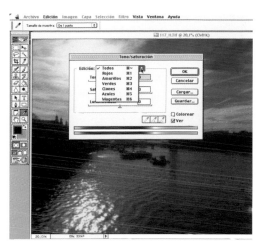

Figura 44. Cuadro Tono/Saturación. Pestaña de Edición.

uno gris y otro blanco. Con estas herramientas el usuario puede establecer el punto más oscuro, el punto medio o el más claro, respectivamente. A partir de ahí, el programa establecerá las relaciones oportunas con el resto de las tonalidades. Estas opciones son muy útiles en el caso de un inadecuado balance de blancos a la hora de realizar la fotografía (Ver figura 42).

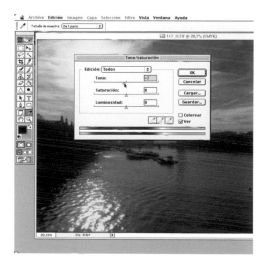

Figura 45. Cuadro Tono/Saturación. Tono.

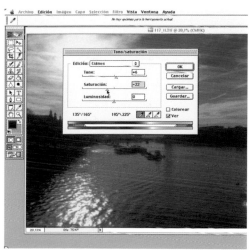

Figura 46. Cuadro Tono/Saturación. Saturación.

Fotografías azuladas

A menudo, al realizar un balance de blancos erróneo, un contraluz o al tomar una fotografía con zonas muy claras como en el caso de los entornos nevados, las imágenes quedan bañadas en un tono azulado que no solamente resulta falto de vida, sino que no se ajusta a la realidad del motivo en cuestión.

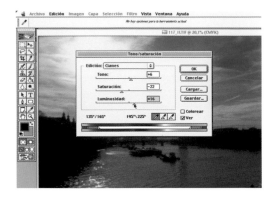

Figura 47. **Cuadro Tono/Saturación. Luminosidad.**

En tales casos, la solución se encuentra en el laboratorio digital. Al igual que en el ejercicio anterior, éste podría corregirse empleando las opciones del cuadro Niveles. Sin embargo, y para conocer otras opciones, utilizaremos unas herramientas muy similares que se encuentran en la ventana Tono/Saturación, dentro de Ajustar, en el menú Imagen (Ver figura 43).

Este cuadro incluye una pestaña desplegable semejante a la de Canales dentro de la ventana Niveles, que en este caso se encuentra bajo el nombre Edición. En ella podemos seleccionar todos los colores que componen la imagen para trabajar sobre ellos en conjunto o por separado: rojos, amarillos, verdes, cianes, azules y magentas (Ver figura 44).

Al ser los tonos cianes y azules los predominantes en nuestra fotografía, deberemos bajar sus niveles de tono, saturación e iluminación para volverlos más discretos, mientras que potenciaremos los rojos, magentas y amarillos (Ver figuras 45, 46 y 47).

Finalmente, cuando la imagen esté al gusto del usuario, puede guardar los valores empleados en el ejercicio para tenerlos de referencia en ocasiones similares. Para ello, basta con pulsar sobre el botón Guardar de la ventana Tono /Saturación. Inmediatamente, aparecerá un cuadro de

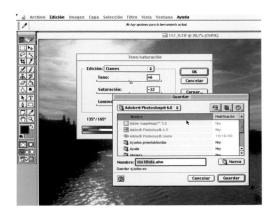

Figura 48. **Cuadro Tono/Saturación. Cuadro Guardar ajuste.**

Antes. Foto original.

Después. Foto retocada.

diálogo en el que se deberá especificar la ubicación de la carpeta que alojará el documento con la información del ajuste que previamente habrá sido creada por el usuario para este fin. El botón Cargar recupera la información del ajuste mediante un cuadro de diálogo semejante al de Guardar, donde se pide la localización del documento (Ver figura 48).

Orlas para fotografías especiales

Las orlas, formas difuminadas en las que se enmarca una imagen, resultan muy decorativas en aquellas fotografías que son especialmente importantes para la familia. El programa de edición digital permite al usuario diseñarlas con sólo un poco de imaginación por su parte.

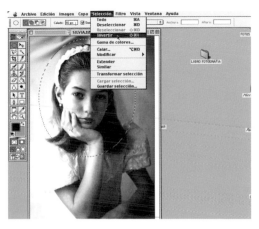

Figura 49. El calado de una selección.

Figura 50. Selección-Invertir.

Figura 51. **Selección invertida.**

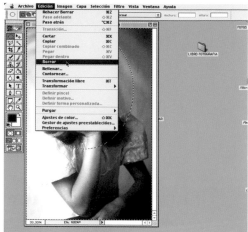

Figura 52. **Edición-Borrar.**

Las orlas son figuras sencillas, como una elipse o una flor, que se dibujan con las herramientas de selección del programa. Previamente, debemos indicar una cifra en la ventana de calado para que el corte de la foto quede difuminado, evitando así antiestéticos efectos de dureza. Cuanto mayor sea el valor introducido para el calado, más progresivo resultará el corte (Ver figura 49).

Una ver realizada la selección de la zona que permanecerá dentro de la orla, hay que invertir la selección, opción que se encuentra en el menú Selección de la barra superior (Ver figura 50).

Figura 53. **Suma de selecciones.**

Figura 54. **Resultado de Invertir la selección y Borrar.**

Con ello, tendremos seleccionada el área de la fotografía que no nos interesa y que, por tanto, hay que eliminar (Ver figura 51).

Para hacer desaparecer la parte de la imagen que no interesa conservar, seleccionamos la opción Borrar dentro del menú Edición de la barra superior (Ver figura 52).

Sin embargo, no tenemos por qué conformarnos con orlas tan sencillas, sino que el usuario puede dibujar su propia orla personalizada mediante la suma de selecciones de formas simples, por ejemplo, una flor. Para añadir una selección a otra, debemos mantener pulsado el botón Mayúsculas mientras realizamos la operación. Por el contrario, si lo que pretendemos es restar una zona a la selección, es preciso mantener pulsada la tecla ALT (Ver figura 53).

A continuación, invertimos la selección y borramos (Ver figura 54).

No olvidemos que el valor del calado debe estar introducido previamente a la primera selección, ya que de lo contrario, sería del todo inútil.

Al borrar el fondo quedará del último color prefijado para esta zona, en este caso el blanco. Si queremos modificarlo por otro, por ejemplo, el azul, es necesario picar sobre el botón Color de fondo del menú de Herramientas. A continuación aparecerá un cuadro de diálogo denominado Selector de color que permite al usuario elegir el valor cromático deseado (Ver figura 55).

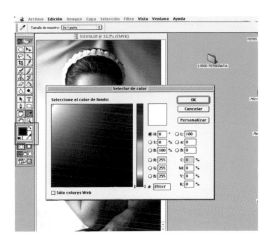

Figura 55. Color de fondo.

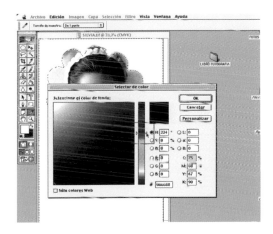

Figura 56. Barra vertical del Selector de color.

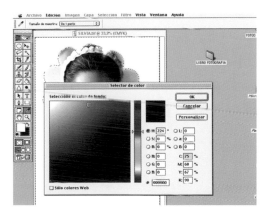

Figura 57. Cuadro cromático del Selector de color.

Figura 58. Nuevo color de fondo.

En la barra vertical podremos seleccionar la tonalidad más aproximada (Ver figura 56). Y después especificar el color en el cuadro de la izquierda (Ver figura 57).

Una vez elegido el color, es suficiente con pulsar la tecla OK. Así el fondo quedará con un color uniforme que embellecerá el resultado final de la orla (Ver figura 58).

Si es necesario reencuadrar, tendremos que seleccionar la zona que pretendemos conservar y cortar la imagen, mediante la herramienta Recortar del menú Imagen.

Reencuadre de fotografías

En ocasiones, cuando se analizan tranquilamente en casa las fotografías que han sido tomadas unos días antes, es fácil caer en la cuenta de que existe un elemento que distrae la atención del objeto principal o que simplemente se ha captado en el encuadre más entorno del necesario. Para estos casos, el programa de edición de imágenes será el mejor de los aliados.

Photoshop permite reencuadrar una fotografía utilizando dos herramientas distintas: Marco rectangular y Recortar.

Antes. Foto original.

Después. Foto retocada.

Figura 59. Herramienta Marco de selección rectangular.

Figura 60. Descripción del marco.

Tanto la opción Marco rectangular como Recortar presentan la posibilidad de cambiar no sólo el encuadre de la imagen sino también las proporciones de su marco (Ver figura 59).

Si el usuario decide utilizar la herramienta Marco rectangular, basta con que describa el área que pretende conservar en el encuadre (Ver figura 60).

En caso de querer variar la ubicación de la selección, el usuario se verá obligado a realizarla de Nuevo, ya que si emplea la herramienta Mover, se mueve el contenido de la selección, no la selección en sí (Ver figura 61).

A continuación, se corta la imagen mediante la opción Recortar incluida en el menú Imagen de la barra superior (Ver figura 62).

Figura 61. Marco rectangular. Mover.

Figura 62. Imagen-Recortar.

Figura 63. **Herramienta Recortar.**

Figura 64. **Movimiento con la Herramienta Recortar.**

Otra opción más adecuada y completa que la anterior, destinada al reencuadre de fotografías es la herramienta Recortar, ubicada en la paleta de Herramientas.

Una vez seleccionada esta herramienta, el usuario puede observar que se activan varias opciones en la barra superior: anchura, altura y resolución. Si preferimos trabajar con unas proporciones determinadas, tendremos que introducir los valores deseados junto con una unidad de medida (mm, cm, pt...). Además, el usuario puede elegir la resolución final de la imagen recortada, sin olvidar que si la fotografía se agranda perderá calidad (Ver figura 63).

Con la opción Recortar, la zona de la fotografía no seleccionada queda oscurecida para obtener una imagen aproximada del resultado final tras el recorte. Además, la herramienta Recortar permite mover la selección las veces que sean necesarias (Ver figura 64).

Antes. **Imagen original.**

Después. **Imagen retocada.**

Figura 65. **Imagen-Modo-Escala de grises.**

Figura 66. **Cuadro de atención de Escala de grises.**

Una vez decidido el nuevo encuadre, el usuario deberá seleccionar la opción Recortar del menú Imagen, o bien picar dos veces con el botón izquierdo del ratón sobre el cuadro de recorte.

⊞ Fotografías viradas

Una técnica de la tradicional fotografía en blanco y negro era el viraje, ya que suponía una nota de color en una disciplina protagonizada entonces exclusivamente por los grises.

Hoy en día vivimos en un mundo gráfico bañado en miles de colores, y es quizás precisamente por eso por lo que las tendencias miran a un pasado mucho más frugal. Se trata de la moda retro. En numerosas ocasiones descubrimos que lo antiguo y tradicional tiene un valor y atractivo que la tecnología punta no puede igualar.

Pues bien, en eso nos equivocamos, la tecnología puede conseguir

Figura 67. **Imagen en blanco y negro.**

Figura 68. **Imagen-Modo-Duotono.**

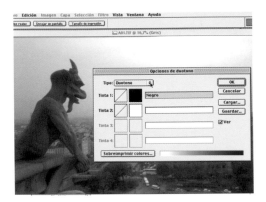

Figura 69. **Cuadro Opciones de Duotono.**

Figura 70. **Selector de color.**

que una fotografía tomada unos minutos antes parezca recién sacada del álbum de fotos del abuelo.

Tomamos una imagen que no tenga referencias temporales del momento actual. Comenzaremos por eliminar el color de la misma. Para ello selecciona-mos Imagen de la barra de

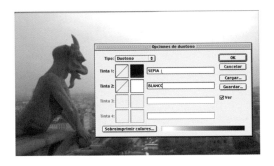

Figura 71. **Nombrar los colores empleados.**

menú principal. Colocamos el puntero sobre la pestaña Modo y pinchamos sobre Escala de grises (Ver figura 65).

Aparecerá un cuadro de diálogo con el que se pregunta al usuario si está seguro de querer eliminar la información de color. Como ésa es la fina-lidad del ejercicio, debemos pulsar OK (Ver figura 66). Inmediatamente la ima-gen queda transformada a blanco y negro (Ver figura 67).

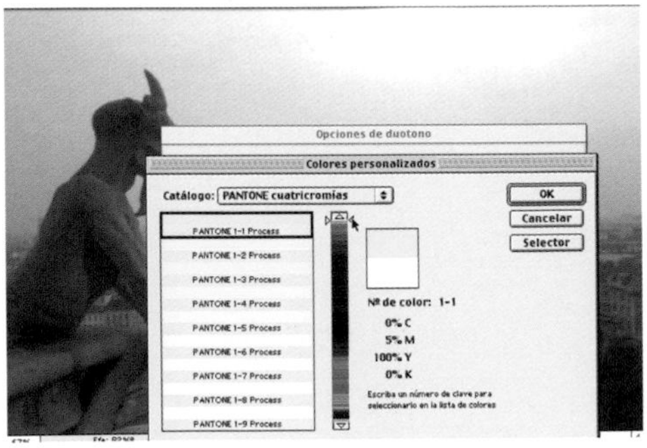

A continuación, volvemos a Imagen-Modo, pero esta vez seleccionando la opción Duotono (Ver figura 68). Segui-damente, aparecerá el cuadro de diálo-go Opciones de Duotono (Ver figura 69). Sobre la pestaña superior, el usuario debe especificar la variable Duotono (Ver figura 70).

Figura 72. **Añadir color al blanco original.**

Antes. Imagen original.

Después. Imagen retocada. Efecto virado a selenio (azul).

Si picamos dos veces con el botón izquierdo del ratón sobre el cuadro de color correspondiente al primer color (negro), se abre el cuadro Selector del color, con el que podremos elegir el color que sustituirá al negro en nuestra fotografía. El cuadro blanco con una línea diagonal puede seleccionarse igualmente picando dos veces sobre él. Con él podremos manipular el brillo y la luminosidad del color en cuestión.

Después. Imagen retocada. Efecto envejecido.

A este respecto, el programa pone a disposición del usuario un abanico cromático casi infinito, sin embargo, es preciso tener en cuenta que los antiguos fotógrafos únicamente podían virar las imágenes a sepia o selenio, es decir, marrón y azul, respectivamente. Por tanto, si queremos que la imagen tenga una aspecto auténtico nos ceñiremos a estos dos tonos.

Una vez seleccionado el color deseado, el usuario deberá nombrarlo para poder guardar la aplicación (Ver figura 71).

Después. Imagen retocada. Efecto virado a sepia (marrón).

Si queremos potenciar la autenticidad de la fotografía, añadiendo un efecto de envejecimiento, sustituyamos el blanco por un amarillo claro

Figura 73. **Herramienta Máscara rápida.**

Figura 74. **Herramienta aerógrafo.**

Figura 75. **Grosor de pincel.**

Figura 76. **Aplicando la Máscara rápida con el aerógrafo.**

semejante al que adquieren las imágenes antiguas con el paso de los años (Ver figura 72).

⊞ Enfocar una zona concreta de la imagen

Por distintas razones, no siempre se afina al cien por cien con el enfoque. Si una fotografía cuenta con un mínimo de nitidez sobre el objeto principal de la toma, todavía hay esperanzas.

Photoshop permite retocar el foco, si el descuido no es demasiado severo. La fórmula es muy simple, pero también limitada. Este programa disminuye las diferencias entre planos difusos, aumentando el claroscuro y la separación de colores mediante la pronunciación de los píxeles de contorneo. Por tanto, la nitidez conseguida es, en realidad, una ilusión óptica de nitidez, que llevado al abuso provoca el efecto

Figura 77. Borrando zonas sobrantes.

Figura 78. Máscara rápida concluida.

contrario al deseado. Por tanto, la utilización de esta opción debe realizarse con precaución.

Con el programa de edición podemos enfocar la superficie total de la imagen, sin embargo, es mucho más efectivo limitarse al objeto principal del encuadre.

Para realizar estos ajustes selectivos y limitados, contamos con la herramienta Máscara rápida que se encuentra en la parte inferior de la barra de Herramientas (Ver figura 73).

La Máscara rápida es una herramienta de selección excluyente, es decir, la zona sobre la que actúa es la que no será incluida en la selección final. Esto que puede parecer un inconveniente, no lo es en absoluto, ya

Figura 79. Selección del Modo estándar.

Figura 80. Selección-Invertir.

Figura 81. Filtro-Enfocar-Máscara de enfoque.

Figura 82. Ventana Máscara de enfoque.

que entre las opciones del menú Selección, encontramos la de Invertir selección.

La Máscara rápida necesita de otra herramienta para su óptima aplicación. En este caso hemos utilizado el Aerógrafo (Ver figura 74). El grosor del mismo, así como la presión puede variarse en el menú de la barra principal. La zona sobre la que se aplica quedará bajo un rojo traslúcido (Ver figura 75).

En esta ocasión vamos a aplicar el Aerógrafo sobre el elemento principal, ya que supondría un tratamiento menor sobre la superficie total de la imagen (Ver figura 76).

Si nos salimos del área deseada, podemos borrar las zonas sobrantes marcadas con el Aerógrafo utilizando la herramienta Borrador (Ver figuras 77 y 78). Esta herramienta también permite cambiar el grosor, la forma y la presión del pincel.

Una vez concluida la operación, el usuario deberá volver a la opción Editar modo estándar (Ver figura 79).

Inmediatamente la mancha roja del aerógrafo desaparece y en su lugar se activa la selección. Sin embargo, la selección afecta al área que no ha sido barrida por el aerógrafo, por lo que será necesario invertir la selección. Esta opción (Invertir) está incluida en la ventana Selección del menú superior (Ver figura 80).

Ahora que el usuario tiene seleccionada la zona sobre la que quiere aplicar el retoque, el siguiente paso es realizar el enfoque.

Para ello es necesario hacer click con el ratón sobre la ventana Filtros del menú principal.

Entre otros, Filtros cuenta con una pestaña denominada Enfoque, que a su vez engloba varias opciones, entre ellas Máscara de enfoque (Ver figura 81).

Cuando seleccionamos esta opción aparece un cuadro de diálogo que permite al usuario variar varios parámetros que afectan al enfoque (Ver figura 82).

Estos parámetros son la cantidad, el radio y el umbral. La cantidad afecta a la diferencia que se produce entre planos de diferentes tonalidades cromáticas. El radio trabaja sobre el claroscuro, intensificando o suavizándolo. El umbral delimita en mayor o menor medida las áreas mediante la utilización de contornos.

Además, el cuadro de Máscara de enfoque cuenta con una pequeña pantalla que permite acercar y mover cualquier sector de la imagen donde pueden observarse los cambios realizados antes de pulsar OK.

Antes. Imagen original.

Después. Imagen retocada.

Eliminar pequeñas imperfecciones

Las lentes de los objetivos atraen motas y pelusas con mucha facilidad, así es que por mucho que el fotógrafo las limpie, es bastante frecuente encontrar pequeñas manchas en la imagen.

Éste es un problema fácil de solucionar en el laboratorio digital, únicamente se requiere algo de mimo y paciencia.

Photoshop cuenta entre un amplio abanico de opciones con el Tampón de clonar en la barra Herramientas (Ver figura 83).

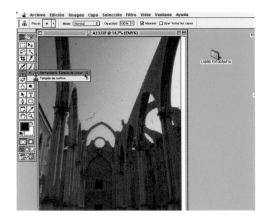

Figura 83. **Herramienta Máscara rápida.**

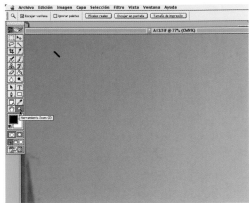

Figura 84. **Herramienta aerógrafo.**

Aunque salten a la vista, las pelusas que suelen aparecer en el encuadre son de tamaño bastante reducido, por tanto, trabajaremos en un área muy ampliada que atraeremos mediante el Zoom (Ver figura 84).

A continuación y asegurándonos de que tenemos seleccionado el Tampón de clonar, elegiremos un grosor de pincel adecuado al tamaño de la impureza que queremos eliminar. Por otra parte, la presión del pincel debe estar al 100 %, ya que el objetivo es cubrir por completo la zona tratada (Ver figura 85).

Una vez realizados los cambios oportunos en las opciones de la barra superior, es necesario tomar la muestra que se clonará sobre la zona manchada. Normalmente, dicha muestra debe tener el mismo color y textura que el área que rodea la impureza (Ver figura 86).

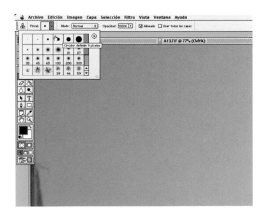

Figura 85. **Grosor de pincel.**

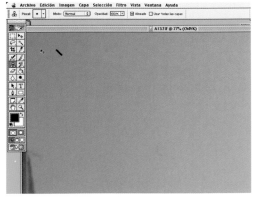

Figura 86. **Aplicando la Máscara rápida con el aerógrafo.**

Para realizar esta operación, es suficiente con pulsar la tecla Alt mientras picamos con el botón izquierdo del ratón sobre la zona que servirá de ejemplo a la clonación.

A partir de este momento, cada movimiento del Tampón conllevará el mismo movimiento y trayectoria en la muestra. De tal forma, que si esta última entrara en un área un color distinto al deseado, sería necesario volver a tomar una nueva muestra (Ver figura 87).

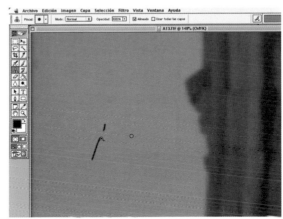

Figura 87. Selección del Modo estándar.

La operación de cambiar varias veces de muestra para la clonación es frecuente en los casos en los que la mancha no se encuentra sobre un color o textura uniformes, sino que atraviesa zonas heterogéneas en cuanto a los valores cromáticos (Ver figura 88).

Los efectos del Tampón de clonar suelen pasar desapercibidos pero marcan la diferencia entre una fotografía descuidada y otra limpia y clara.

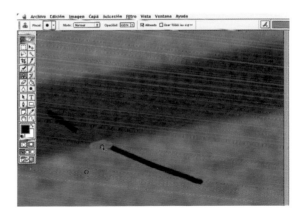

Figura 88. Selección-Invertir.

Por otra parte, el Tampón de clonar suele emplearse para borrar objetos enteros de una imagen. Sin embargo, es preciso tener en cuenta que cuanto mayor es el área sobre la que actúa esta herramienta más difícil es disimular su utilización. Por tanto, aunque sus resultados sean óptimos no se debe abusar de ella.

Añadir texto a una imagen

Es cierto que una imagen vale más que mil palabras. Sin embargo, a veces, escribir algunas puede añadir significado y originalidad a la copia final.

Antes. **Imagen original.**   Después. **Imagen retocada.**

En este apartado veremos un ejemplo de las numerosas posibilidades que en este caso puede ofrecer el programa de edición.

Una vez abierto el documento, pulsamos el botón Texto que se encuentra en la paleta de Herramientas (Ver figura 89).

Inmediatamente, las opciones más importantes de esta herramienta aparecen en la barra superior: tipografía, tipo, tamaño, justificación y calidad del texto.

La pestaña de tipografía permite seleccionar cualquier estilo de texto que esté cargado en el ordenador (Ver figura 90).

El tipo muestra las opciones normal, negrita o cursiva que el usuario puede aplicar al texto sobre el que esté trabajando (Ver figura 91).

En cuanto al tamaño, viene reflejado en puntos (pt) y puede introducirse directamente como cifra, o bien seleccionar un tamaño prefijado en el desplegable (Ver figura 92).

Figura 89. Herramienta Texto.

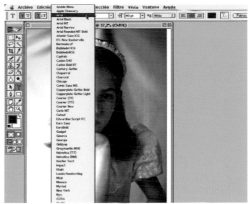

Figura 90. Desplegable Tipografías.

La nitidez del texto es otra de las opciones con las que el usuario puede jugar. Cuenta con los parámetros: ninguno, nítido, fuerte o redondeado (Ver figura 93).

Por otra parte, el texto puede escribirse con diversas justificaciones: a la derecha, a la izquierda o centrado. La justificación del texto es importante si vamos a escribir varias líneas, ya que determina la colocación de las mismas teniendo en cuenta las demás (Ver figura 94).

Figura 91. Desplegable Tipo de texto.

Para que todas las opciones se apliquen correctamente es importante que el texto permanezca seleccionado. Esto se consigue arrastrando el ratón con el botón izquierdo pulsado sobre la totalidad del texto. El usuario podrá comprobar que el texto se encuentra operativo porque aparece un cuadro en negativo que cubre todo este elemento (Ver figura 95).

Una vez realizadas las primeras operaciones sobre el texto, el usuario puede deseleccionarlo para ver los

Figura 92. Desplegable Tamaño de texto.

Figura 93. Desplegable Calidad del texto.

Figura 94. Pestaña Justificación del texto.

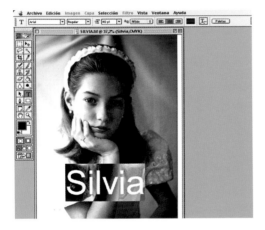

Figura 95. Texto seleccionado.

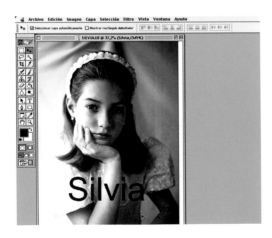

Figura 96. Texto inicial.

resultado, picando con el botón izquierdo del ratón sobre cualquier punto de la imagen (Ver figura 96).

A continuación y tras volver a seleccionar el texto, vamos a cambiar el color del mismo. Para ello es preciso pulsar sobre el cuadro de configuración de color frontal que se encuentra en la parte inferior de la caja de herramientas. Inmediatamente, aparecerá la ventana de diálogo Selector de color (Ver figura 97).

Una vez conseguido el color deseado (Ver figura 98), el usuario puede añadir otros efectos algo más complejos como sombras proyectadas, brillos y texturas. Para ello, tendrá que trabajar utilizando las Capas.

Las Capas son láminas transparentes que suelen contener elementos. El uso de las capas permite trabajar con dichos elementos sin que afecte al resto, en este caso, a la imagen original.

Para acceder a esta opción, es preciso pulsar sobre el botón Ventanas incluido en la barra de herramientas superior. Entre las órdenes del desplegable, se encuentra la de Mostrar Capas (Ver figura 99).

En este caso, la ventana Capas muestra únicamente dos: el fondo o imagen original, y la capa que contiene el texto. El usuario debe siempre asegurarse que se encuentra sobre la capa adecuada. En cualquier ocasión, la capa seleccionada es la que se visualiza sobre fondo azul y sobre la que previamente se ha pulsado (Ver figura 100).

A continuación, sobre la pestaña Capa de la barra de herramientas superior podemos observar varias opciones, entre ellas la de Estilo de Capa (Ver figura 101).

Esta opción despliega una nueva ventana que incluye una larga lista de operaciones. En este ejercicio, seleccionaremos Bisel y relieve, aunque muy bien podríamos jugar con cualquier otra opción: Sombra paralela,

Figura 97. Selector de color.

Figura 98. Texto coloreado.

Figura 99. Ventana-Mostrar Capas.

Figura 100. Ventana Capas.

Figura 101. Capa-Estilo de Capa.

Figura 102. Opciones Estilo de Capa.

Sombra interior, Resplandor exterior, Satinado, Superposición de colores, etc. (Ver figura 102).

Una vez pulsado sobre la opción deseada, aparece una ventana de diálogo que permite manipular varios parámetros distintos dentro de la misma herramienta (Ver figura 103).

En el recuadro de la izquierda, el usuario puede seleccionar y combinar varias operaciones de capa, aunque aparezca sombreada en azul y como preferente sobre la que se pulsó previamente.

Además, podremos modificar valores que afectan a la intensidad, ángulo y área de proyección de las sombras, los brillos, las texturas, etc., de tal modo que las posibilidades de variar el aspecto del texto se ven ampliamen-

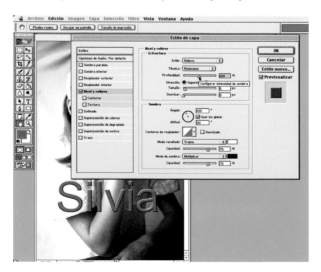

Figura 103. Ventana Estilo de Capa.

te multiplicadas (Ver figura 104).

Precisamente por la gran variedad de parámetros sobre el que el usuario puede trabajar, resulta fundamental mantener activada la pestaña Previsuali-zación, para mantener el control sobre los resultados.

Si queremos guardar los cambios realizados en el documento es preferible hacerlo mediante la opción Guardar Como del Archivo para conservar intacto el original.

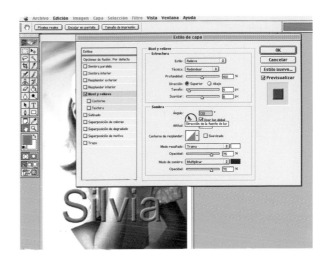

Figura 104. **Opciones detalladas de Estilo de Capa.**

Antes. **Imagen original.**

Después. **Imagen retocada.**

Figura 105. **Máscara rápida.**

Figura 106. **Herramienta aerógrafo.**

⊞ Desenfocar un fondo inadecuado

Disminuir la profundidad de campo en una fotografía no siempre es fácil o tan siquiera posible. Cuando las condiciones lumínicas son intensas es preferible trabajar con el diafragma cerrado. A cambio obtenemos una nitidez casi infinita que no siempre nos conviene. En el caso de retratos, un fondo poco atractivo y sin embargo bien enfocado puede estropear la toma.

Con el programa de edición podemos desenfocar artificialmente alguna zona concreta de la imagen. Para ello tendremos que trabajar, de nuevo, con el modo Máscara rápida de la barra de herramientas (Ver figura 105).

Recordemos que este modo selecciona el área que quedará excluida de los efectos de las operaciones posteriores. Por tanto, seleccionaremos a la figura principal. Esto lo haremos utilizando la herramienta Aerógrafo de

Figura 107. **Grosor de pincel.**

Figura 108. **Sombreando el área a excluir.**

la barra de herramientas (Ver figura 106).

A continuación, pulsaremos sobre el grosor de pincel que nos resulte más cómodo. Esta opción se encuentra en la barra superior (Ver figura 107).

Con el grosor adecuado para el Aerógrafo, iremos sombreando la zona que quedará excluida del desenfoque (Ver figura 108).

Una vez concluida esta operación, volveremos al modo normal pulsando sobre Máscara estándar en la parte inferior de la barra de herramientas (Ver figura 109).

Inmediatamente el área sin sombrear por la máscara rápida quedará seleccionada (Ver figura 110).

Una vez seleccionada la zona sobre la que vamos a trabajar, nos disponemos a determinar el desenfoque. Para ello, pulsaremos sobre el menú Filtro de la barra superior de herramientas.

Aparecerá un desplegable con diversas opciones, entre ellas la de

Figura 109. Modo estándar.

Figura 110. Área sin sombrear seleccionada.

Figura 111. Filtro-Desenfocar-Desenfoque gaussiano.

Figura 112. Ventana Desenfoque gaussiano.

Figura 113. Resultado del desenfoque gaussiano.

Desenfocar. Si pulsamos sobre este botón, se despliegan nuevas aplicaciones relacionadas con el desenfoque. En esta ocasión pulsaremos sobre Desenfoque gaussiano (Ver figura 111).

El desenfoque gaussiano muestra una ventana de diálogo que permite determinar el nivel de desenfoque que va a aplicarse sobre la zona previamente seleccionada.

Además cuenta con una ventana sobre la que puede visualizarse algún detalle de la imagen para estudiar con más detenimiento los efectos de nuestra manipulación (Ver figura 112).

Una vez aceptada la operación, el usuario puede ver el resultado de la misma (Ver figura 113).

Si deseleccionamos y ampliamos la imagen con el Zoom de la barra de herramientas, podremos observar algunas zonas limítrofes entre el área desenfocada y la nítida que permanecen enfocadas de tal forma que provocan unos perfiles demasiado marcados. Para trabajar sobre dichas

Figura 114. Herramienta Desenfocar.

Figura 115. Aplicación de Desenfoque en algunas zonas.

áreas, seleccionaremos la herramienta Desenfocar de la barra de herramientas (Ver figura 114).

Aplicaremos el desenfoque sobre las zonas defectuosas utilizando un grosor de pincel adecuado (Ver figura 115).

No olvidemos que esta herramienta es más lenta. Sin embargo, su aplicación es más controlada en áreas más reducidas.

Una vez desenfocados los perfiles (Ver figura 116), el elemento principal aparecerá resaltado por el desenfoque del

Figura 116 **Perfiles desenfocados.**

fondo. Si éste es muy pronunciado, la fotografía puede resultar irreal y poco natural, aunque en ocasiones este efecto resulta original y llamativo.

Por último, si el fondo presenta elementos a distintas distancias del primer término, el usuario puede aplicar mayor desenfoque sobre los elementos más alejados, bien utilizando la máscara rápida, bien mediante la herramienta Desenfocar

Antes. **Imagen original.**

Después. **Imagen retocada.**

Añadir color a una imagen con un filtro degradado

Muchos de los filtros ópticos tradicionales pueden simularse con el programa Photoshop. Uno de ellos es el degradado sepia que añade romanticismo y calor a una toma propicia para ello.

Figura 117. Ventana-Mostrar Capas.

En primer lugar, tendremos que trabajar utilizando dos capas: una para el fondo o imagen original y otra para el degradado. Por ello, abriremos la herramienta Capas, pulsando sobre el menú Ventana y seleccionando la operación Mostrar Capas (Ver figura 117).

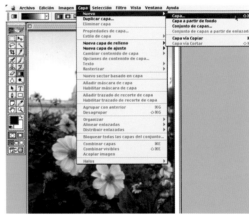

Figura 118. Capa-Nueva.

Acto seguido, aparecerá una ventana que muestra una única capa, la del fondo. Para añadir otra capa que contendrá el degradado, debemos pulsar sobre la

Figura 119. Ventana Nueva capa.

Figura 120. Aparece una Nueva capa.

Figura 121. **Herramienta degradado.**

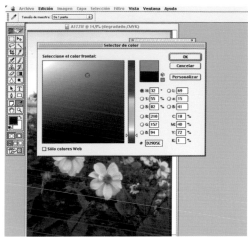

Figura 122. **Selector de color.**

pestaña Capa de la barra superior y seleccionar la opción Capa del desplegable (Ver figura 118).

Sobre la ventana de diálogo Nueva capa, el usuario puede elegir ciertas características de la capa que va a crear, tales como el nombre, el color del fondo, etc. En esta ocasión, llamaremos Degradado a la nueva capa y le asignaremos Ninguno como color de fondo (Ver figura 119).

Una vez aceptados los cambios, aparece la nueva capa en la ventana de Capas, justo encima del fondo, lo que indica que se encuentra sobre la misma en el documento.

Figura 123. **Línea de degradado.**

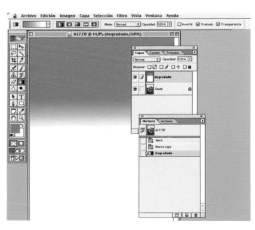

Figura 124. **Degradado opaco.**

Figura 125. Opacidad de la capa del degradado.

Figura 126. Resultado del degradado.

El sombreado azul indica la capa que se encuentra seleccionada en cada momento (Ver figura 120).

A continuación, trabajaremos con el Degradado de la barra de herramientas, (Ver figura 121), a la que asignaremos un color sepia pulsando sobre el recuadro de Color frontal que activará el Selector de color (Ver figura 122).

Una vez seleccionado el color deseado y manteniendo la herramienta de degradado, describiremos de arriba a abajo una línea que indicará la trayectoria del degradado (Ver figura 123).

El punto inicial de la línea determina el espacio donde comenzará a disminuir la intensidad del degradado. El punto final indica dónde deja de tener efecto alguno dicho degradado. Cuanto más larga sea la línea más suave será el cambio de color. Si, por el contrario, la línea es corta, el degradado será más brusco.

Tras realizar esta operación, la capa muestra el degradado con una opaci-

Figura 127. Herramienta aerógrafo con Máscara rápida.

Figura 128. Grosor del pincel.

dad del 100 %, por tanto oculta totalmente el fondo (Ver figura 124).

Ya que el propósito del filtro es añadir color a la imagen sin ocultarla, será necesario disminuir la opacidad de la capa seleccionada, bien sobre la pestaña de opacidad de la barra de herramientas superior, o bien en la que se encuentra en la ventana Capas, teniendo siempre la precaución de mantener seleccionada la capa del degradado (Ver figura 125).

Figura 129. **Sombreado de la máscara rápida.**

En este caso, hemos introducido el valor 21 en el porcentaje de opacidad para que el degradado sea suave y sin demasiada intensidad (Ver figura 126).

Sin embargo, hay que tener en cuenta que el degradado que hemos aplicado va del sepia al blanco, por lo que la parte inferior de la fotografía se ve artificialmente iluminada. Para eliminar este efecto secundario, es necesario borrar esta parte de la capa.

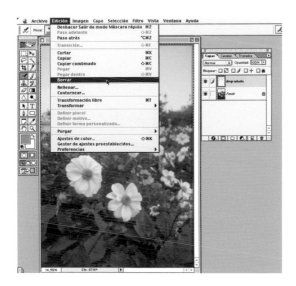

Figura 130. **Modo Estándar y Edición-Borrar.**

Utilizaremos la herramienta Aerógrafo en el modo de Máscara rápida para que el corte no sea brusco, sino que siga la silueta dibujada por las flores del primer término (Ver figura 127).

Como la superficie a tratar es amplia, seleccionaremos un grosor de pincel de 300 para realizar esta operación con mayor rapidez (Ver figura 128).

Una vez realizado el sombreado con el Aeró-

Antes. Imagen original.

Después. Imagen retocada.

grafo (Ver figura 129), pulsaremos sobre el modo estándar e invertiremos la selección, pulsando sobre la pestaña Selección de la barra superior y tomando la opción Invertir.

El último paso es eliminar el contenido de la selección, en este caso la zona de la capa Degradado que afecta a las flores.

Para ello, el usuario puede simplemente pulsar el botón Delete o Suprimir del teclado, o bien dirigirse al desplegable Edición de la barra superior y seleccionar la orden Borrar (Ver figura 130).

Este ejercicio ofrece multitud de variantes, ya no solo en la elección del color, sino también en la intensidad, el ángulo y el alcance del degradado.

Si el usuario quiere modificar la intensidad del efecto del filtro, es suficiente con que juegue con diferentes valores de opacidad: a mayor opacidad, mayor intensidad cromática.

Por otro lado, el ángulo del degradado queda decidido en el momento en el que se dibuja la línea de degradado. Por tanto, dependiendo del ángulo de ésta, así se proyecta aquél. Por último, el alcance del filtro se determina por la longitud de la línea de degradado y la zona en la que queda dibujada.

Añadir movimiento a una imagen estática

Cuando no disponemos de un trípode y tememos que una fotografía quede trepidada o, simplemente, hay zonas de la toma que pretendemos que permanezcan estáticas, es fundamental emplear velocidades medias o elevadas.

Esto que entra dentro de toda lógica fotográfica es un obstáculo cuando queremos añadir dinamismo a la toma con algo de movimiento.

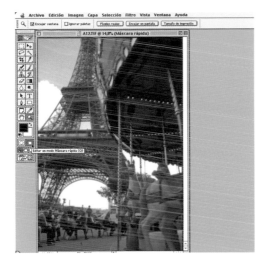

Figura 131. **Máscara rápida.**

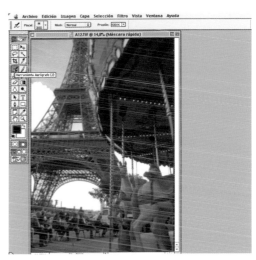

Figura 132. **Herramienta aerógrafo.**

Figura 133. **Grosor de pincel medio.**

Figura 134. **Aplicación sobre las zonas principales.**

Figura 135. **Grosor de pincel fino.**

Figura 136. **Aplicación sobre las áreas reducidas.**

El programa de edición puede solucionar situaciones como ésta utilizando, una vez más la máscara rápida para seleccionar una zona muy concreta de la imagen (Ver figura 131).

Figura 137. **Herramienta borrador.**

Figura 138. **Modo estándar.**

Para realizar la selección utilizaremos el aerógrafo de la barra de herramientas (Ver figura 132).

En las zonas amplias aplicaremos el aerógrafo con un grosor de pincel de tamaño medio (Ver figura 133).

Figura 139. Selección-Invertir.

Figura 140. Filtro-Desenfocar-Desenfoque de movimiento.

Una vez seleccionadas las zonas más destacadas de la imagen (Ver figura 134) cambiaremos el grosor del pincel para las áreas más reducidas (Ver figura 135).

Tras el sombreado de toda la superficie del elemento (Ver figura 136), podemos eliminar las manchas sobrantes aplicando el borrador de la barra de herramientas (Ver figura 137).

Figura 141. Ventana Desenfoque de movimiento.

Figura 142. Selección-Deseleccionar.

Antes. **Imagen original.**   Después. **Imagen retocada.**

A continuación volveremos al modo estándar (Ver figura 138).

Recordemos que la máscara rápida es una herramienta excluyente, por lo que las zonas sombreadas son las que no son seleccionadas. Ya que en este caso, el movimiento será aplicado sobre el tiovivo, deberemos invertir la selección (Ver figura 139).

Una vez seleccionado el elemento sobre el que vamos a trabajar, pulsaremos sobre la pestaña Filtro de la barra superior. El desplegable cuenta con la opción Desenfocar, que a su vez abre una serie de operaciones, entre ellas la de Desenfoque de movimiento (Ver figura 140).

Inmediatamente, aparece una ventana de diálogo en la que el usuario puede determinar la cantidad de movimiento y el ángulo en el que se describirá el mismo, y que debe ser coheren-

Figura 143. **Ventana de Atención.**

te con el movimiento real del objeto (Ver figura 141).

Tras esta operación, sólo queda liberar la imagen, pulsando sobre la pestaña Selección y ordenando Deseleccionar (Ver figura 142).

Es conveniente tener en cuenta que estos filtros aunque parecen milagrosos deben tratarse con bastante moderación, ya que el abuso de ellos da como resultado imágenes irreales y muy forzadas. Sin embargo, si la aplicación es leve y se realiza cuidando los detalles, los resultados resultan sorprendentes.

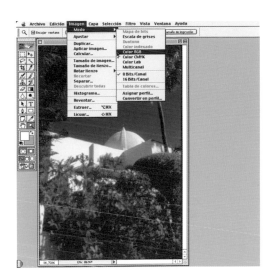

Figura 144. **Modo-Color RGB.**

⊞ Preparar una imagen para ser editada en la web

Muchos fotógrafos colocan algunas de sus tomas en páginas web. Sin embargo, las imágenes destinadas a internet necesitan cumplir una serie de características como el modo cromático, la resolución, el tamaño y el formato.

Cuando un usuario de Photoshop pretende guardar una imagen de gran tamaño y resolución, el programa advierte del inconveniente de trabajar y

Figura 145. **Imagen-Tamaño de imagen.**

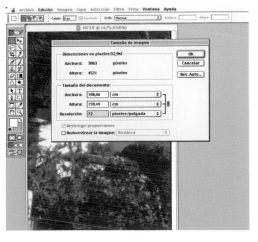

Figura 146. **72 píxeles/pulgada de resolución.**

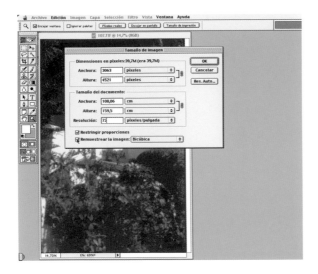

Figura 147. **Remuestrear la imagen.**

visualizar el documento tanto en nuestro ordenador como en la web (Ver figura 143).

En primer lugar, una imagen que va a ser vista a través de una pantalla debe configurarse con el modo cromático adecuado a los colores luz, es decir, rojo, verde y azul. Por ese motivo, la imagen deberá guardarse en modo RGB (Ver figura 144).

Por otra parte, el tamaño y la resolución de la fotografía debe ser muy inferior al que utilizamos cuando el objetivo es imprimirla en papel. Tengamos en cuenta que descargar cualquier documento por internet es lento, más cuanto mayor es el peso del mismo. Además, la resolución de pantalla es inferior al papel, por lo que guardar el documento en alta resolución es del todo inútil.

Pulsando Imagen y accediendo a Tamaño de imagen, podemos cambiar los valores de resolución y tamaño (Ver figura 145).

La resolución adecuada para cualquier imagen destinada a la visualización en pantalla es de 72 píxeles/pulgada (Ver figura 146).

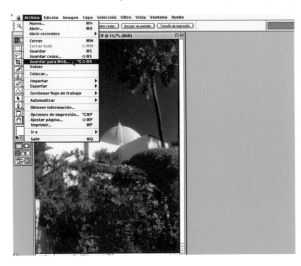

Figura 149. **Archivo-Guardar para web.**

Si pulsa la pestaña de Remuestrear la imagen, el usuario puede disminuir el tamaño del documento sin que esto afecte a otros parámetros (Ver figura 147).

Observemos cómo el peso o tamaño de la fotografía varía conforme cambiamos las medidas. La cifra entre paréntesis refleja el peso original del documento.

Una vez disminuido el tamaño de la imagen, debemos pulsar la pestaña Archivo de la barra de menú superior. A continuación, seleccionaremos la opción Guardar para web (Ver figura 149).

Automáticamente, aparecerá una ventana de diálogo que cambiará el formato del documento a GIF, es decir, un compresor especialmente diseñado para internet (Ver figura 150).

Si pulsamos el botón OK de Guardar para web, aparecerá una nueva ventana bajo el nombre Guardar optimizada como (Ver figura 151).

En el caso de mantener mayor calidad en la imagen hasta el punto de que ésta pueda reutilizarse por algún usuario de internet que quiera

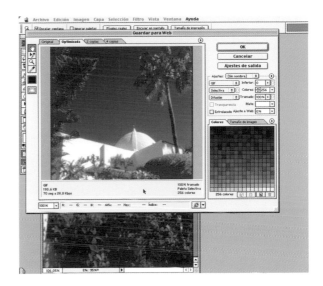

Figura 150. Ventana Guardar para web.

bajarla a su equipo, las operaciones de formato se simplifican a una sola, Guardar como, dentro del menú Archivo, seleccionando la opción JPEG (Ver figura 152).

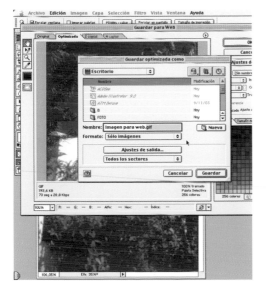

Figura 151. Ventana Guardar optimizada como.

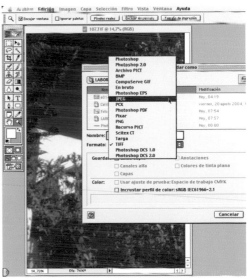

Figura 152. Guardar como JPEG.

⊞ Efectos especiales

El laboratorio digital no sólo permite el retoque de imágenes, sino también brinda un abanico de posibilidades y efectos creativos.

Sin embargo, los resultados poco necesitan de la pericia artística del usuario, por lo que su empleo termina limitándose a casos muy concretos y extraordinarios.

En primer lugar, la mayoría de los filtros creativos se activan cuando la imagen se encuentra bajo el modo RGB. Por tanto, lo primero será asegurarnos que ésta sea la variante cromática seleccionada (Ver figura 153).

Al final de la aplicación, el modo puede modificarse sin que los efectos del filtro cambie.

La mayoría de los efectos crativos se encuentran agrupados en la carpeta Artístico del Menú Filtros (Ver figura 154).

Antes. Imagen original.

Dentro de esta pestaña, el usuario puede seleccionar una modalidad artística con la que el programa trabajará creando la ilusión de ser una obra realizada a mano.

Cada vez que pulsamos sobre uno de estos filtros se visualiza una ventana de diálogo en la que el usuario puede modificar varios parámetros, ampliando así las posibilidades de conseguir resultados finales. Estos parámetros suelen ser: tamaño de pincel, detalle de pincel, texturas, presión del trazo, brillo del papel, enfoque, relieve, dirección de la luz, equilibrio de contrastes o dirección del trazo.

Entre los artísticos, los filtros más populares son: bordes añadidos, espátu-

Figura 153. **Modo de imagen RGB.**

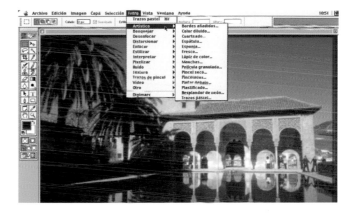

Figura 154. **Filtro-Artístico.**

Figura 155. **Bordes añadidos.**

Figura 156. **Espátula.**

Figura 157. **Esponja.**

Figura 158. **Fresco.**

Figura 159. **Lápiz de color.**

Figura 160. **Manchas.**

la, fresco, esponja, lápiz de color, manchas, pincel seco, pincelada y plastificado.

Todos estos filtros responden a técnicas artísticas ya existentes en la pintura tradicional. Sin embargo, algunas fotografías resisten e imitan mejor este tipo de efectos que otras.

Si la imagen no es muy pictórica, el resultado final puede muy bien resultar chocante y poco natural. Entre los ejemplos propuestos, vemos el caso del filtro Resplandor de neón, que no concuerda en absoluto con el tema fotografiado.

Figura 161. **Película granulada.**

Figura 162. **Pincel seco.**

Figura 163. Pincelada.

Figura 164. Pintar debajo.

Figura 165. Plastificado.

Figura 166. Resplandor de neón.

Figura 167. Filtro-Bosquejar.

Figura 168. Estilográfica.

Otro grupo de filtros muy utilizados son los agrupados en el desplegable Bosquejar. En éste, las imágenes se reducen al blanco y negro, y quedan simplificadas al dibujo al carboncillo o la estilográfica, entre otros. Los resultados, aunque menos llamativos, resultan mucho más naturales.

TÉRMINOS USUALES

Claroscuro	Contrastes de luces y sombras.
Composición	Manera de disponer los elementos de un conjunto.
Contraluz	Aspectos de un objeto o figura vistas desde el lado opuesto al de la luz.
Contraste	Diferencia de intensidad de iluminación en la gama de los blancos y negros.
Diafragma	Disco provisto de una abertura fija o regulable, que controla la entrada de la luz.
Enfoque	Acción de hacer que la imagen de un objeto se forme en el punto adecuado para que se perciba con nitidez.
Encuadre	Delimitación del campo abarcado por el objetivo.
Filtro	Material que permite el paso de determinadas radiaciones o frecuencias excluyendo otras.
Flash	Lámpara que produce un destello de luz breve e intenso.
Fotómetro	Instrumento para medir la intensidad de la luz.
Lente	Pieza de vidrio con caras cóncavas o convexas que se emplea en instrumentos ópticos.
Macro	Objetivo que capta los objetos en dimensiones superiores a las normales.
Objetivo	Sistema de lentes por el que han de atravesar los rayos lumínicos antes de penetrar en el cuerpo de la cámara.
Obturador	Dispositivo destinado a hacer que la luz que atraviesa el objetivo impresione la superficie sensible.
Píxel	Puntos sensibles a la luz que constituyen una imagen.
Plano	Imagen que se toma con un determinado encuadre y ángulo de enfoque.
Telémetro	Aparato óptico que sirve para medir la distancia entre un objeto y su observador.
Trípode	Soporte con tres patas.
Visor	Recuadro diáfano que permite visualizar los encuadres.
Zoom	Objetivo que permite pasar de un plano general a un primer plano sin mover la cámara.